D1248780

S.F.
V.

Christoph Ransmayr

Der Weg nach Surabaya

Reportagen und kleine Prosa

S. Fischer

Satz: Fotosatz Reinhard Amann, Aichstetten
Lithografie: Schoell Reprotechnik, Mainz
Druck und Bindung: F. Spiegel Buch GmbH, Ulm
Printed in Germany
ISBN 3-10-062916-7

Inhalt

Der Weg nach Surabaya

Ein Leben auf Hooge

Porträt einer untergehenden Gesellschaft

Hooge ist ein weiches Land ohne Steine und ohne Quellen. Gemessen an der langsamen Vergänglichkeit eines Gebirgszuges, eines Tales oder eines einzigen Steines, ist Hooge nur ein flüchtiges Schwemmland, das heute in der Brandung liegt und morgen wieder verschwunden ist. Hooge ist eine Weide, eine Wiese im nordfriesischen Wattenmeer, von Salzwasserrinnsalen durchzogen und einem geteerten, niedrigen Sommerdeich gefaßt. Wie trockengefallene Archen und weit auseinanderliegend, erheben sich aus der baumlosen Ebene Hooges neun, von wenigen Häusern bestandene Erdhügel – die Warften. Nur dort, im Windschatten der Häuser, gedeihen auch Bäume und Sträucher. Auf den Fennen, den Weiden zwischen den Warften, grasen Rinderherden und vereinzelt auch Pferde; darüber ziehen Seevögel, Silbermöwen und Austernfischer, ihre Schleifen. Hooge ist ein Land aus Torf, Schlick und Sand, von der See über den Untiefen und den Resten versunkener Marsch- und Moorlandschaften aufgeschichtet und dem Meeresspiegel doch zu nahe geblieben, um den Namen einer Insel zu erfüllen: Land von solchem Land heißt Hallig.

Achtmal, neunmal und öfter im Jahr rauscht das Meer über die Hallig Hooge hinweg, allein die Warften ragen dann umbrandet aus der Flut, und zieht sich die See zurück, liegen auf den Weiden Muschelkränze, Tang und Seesterne. Wenn dann kein Regen das Salz von den Gräsern wäscht, färbt sich dieses Land auch im Frühjahr kastanienbraun und rot. Daß Hooge im Strom der Gezeiten liegt, heißt auch: Hooge liegt zweimal im Verlauf eines Tages und einer Nacht inmitten des Meeres und zweimal in einer Schlickwüste. Klein ist Hooge; der Deich aus Granit und Basalt, der die fünfhundertfünfzig Hektar der Hallig umschließt, ist bei guten Kräften in zwei Stunden abzuschreiten, und die Bewohner dieses Landes sind rasch gezählt. Es sind einhundertvierunddreißig. Eigentlich ist Hooge nur eine Zuflucht auf 54°34' nördlicher Breite und 8°33' östlicher Länge und kaum elf nautische Meilen von der Küste Nordfrieslands entfernt; eine Zuflucht unter einem Himmel, der manchmal hoch und ungeheuer wird und sich dann wieder jäh herabsenkt und kalt und still und undurchdringlich über den Weiden liegt. Unter diesem Himmel wurde Johannes Hansen im Jahre 1896 geboren. Einige schmerzhafte Jahre auf dem Festland ausgenommen, hat er sein Leben auf Hooge verbracht. Jetzt ist er der älteste unter den Bürgern der Hallig. Es ist Frühjahr 1985, Ende April.

Hansen war Hufschmied und Kirchenrechnungsführer und schnitzte in seinen Mußestunden aus dem Harz der im Meer versunkenen Wälder Seehunde; es waren filigrane, augenlose Geschöpfe, Bernsteinabbilder jener unnahbaren Tiere, die damals wie heute auf den kalkweißen Sandbänken jenseits der Brandung im Wind lagen. Der Hufschmied verwandelte den rohen, blinden Bernstein, den die Krabbenfischer aus ihren Schleppnetzen lasen oder den er selber auf seinen Gängen durch das Watt fand, niemals in etwas anderes als in Seehunde. Aber anstelle der Augen schnitt er immer nur leere Kerben in das Gold der Köpfe, weil ihm schien, daß der Blick eines lebendigen Wesens ohnedies unnachahmlich sei. Johannes Hansen achtete die Seehunde sehr. War er nach vieler Sorgfalt mit einer Schnitzerei endlich zufrieden, dann verwahrte er sie in einem Glasschrank seiner Stube neben anderen Erinnerungsstücken an das wirkliche Leben: Kaum größer als die Finger einer Mädchenhand, lagen die Bernsteinseehunde dort zwischen Delfter Kacheln, Tonscherben, Harlinger Tellern und englischen Tassen – den Überresten jener Warften, die in den Sturmfluten der Nordsee untergegangen waren und deren freigespülter Hausrat nun bei Ebbe manchmal im Schlick glänzte.

Der Glasschrank steht immer noch in Hansens Stube und klirrt sachte, wenn eine Bö an den kleinen, weiß gestrichenen Fensterläden reißt. Unversehrt schimmert die Sammlung im Halbdunkel, das Strandgut, die blinden Skulpturen, die Scherben, die Reste. Und obwohl er aus einem anderen Jahrhundert kommt, sitzt der ehemalige Hufschmied und Kirchenrechnungsführer Johannes Hansen immer noch vor diesem Glasschrank an seinem Tisch, allein, versunken, stundenlang oft, und liest in der Heiligen Schrift. Seehunde schnitzt Hansen nun keine mehr. Gewiß, die Robben liegen immer noch draußen auf den Sänden, bei klarem Wetter brauchte Hansen nur vor sein Haus zu treten, um die Rudel zu sehen, dunkle, zitternde Flecken im Fernglas, sie sind immer noch da – aber die Feilen, die Messer und den lange gesammelten Bernstein, ja, die ganze Werkstatt, die draußen vor dem Gartenzaun stand, hat eine Sturmflut schon vor Jahren fortgetragen und dorthin zurückgebracht, wohin wohl alles hier auf Hooge irgendwann zurückmuß – zum Grund des Meeres und hinaus in die freie Nordsee.

Wenn Hansen jetzt noch Abbilder schnitzen wollte, dann müßte er seinen Skulpturen wohl auch jene schwärenden Wunden in die Hälse schneiden, an denen viele von den Tieren dort draußen leiden; solche und verborgenere Zeichen ätzt das vergiftete Meer den Seehunden ins Fleisch. Aber aus Hansens Fenstern sieht man keine Wunden; aus Hansens Fenstern sieht man weder die paar ölverschmierten Mantelmöwen und Trauerenten, die am Steinfuß des Deiches verwesen, noch das von Geschwüren entstellte Fischzeug, das sich nach manchen Fängen zwischen Tausenden Garnelen in den Schleppnetzen windet und ins Meer zurückgeworfen wird. Aus Hansens Fenstern erscheint Hooge seltsam unzerstörbar und geborgen vor dem Fraß der Zeit: Da ist der sorgsam bearbeitete Garten, der Zaun mit den hölzernen Ziersäulen, dahinter die grasbewachsene Warftböschung, ein Stück Weideland, der Deich und, je nach dem Stand des Flutkalenders, das Watt oder die Brandung und es ist, als ob die letzten Jahrzehnte, in denen sich Hooge vom beschwerlichen, bäurischen Ort im Meer in eine von vielen Adressen des Fremdenverkehrs verwandelt hat, noch gar nicht angebrochen wären.

Aber die Abgeschiedenheit dieses verwandelten Ortes ist längst nur noch ein vorübergehender Mangel der kalten, stürmischen Jahreszeit. In den milderen Monaten läßt der tägliche Fährverkehr, der Hooge mit den anderen Halligen, Inseln und dem Festland vernäht, keine Weltferne mehr zu. An den Nachmittagen der Sommersaison sind die Asphaltwege von Hooge schwarz von Menschen: Vier- und fünftausend sind es manchmal an einem einzigen schönen Tag, einhundertsechzig- und einhundertsiebzigtausend sind es im Jahr, Ausflügler, Tagestouristen, die bei auflaufendem Wasser aus Amrum, Föhr oder vom Festland kommen, weiß und groß stampfen ihre Fähren dem wirren

Verlauf der Priele nach und auf Hooge zu, es sind fünf, sechs, auch sieben Schiffe an einem Nachmittag, und ihre Besatzungen umkreisen, belagern, erobern die Warften, Bastion für Bastion, die dem Dock nächstgelegene *Backenswarft* immer zuerst, dann die *Kirchwarft*, die *Hanswarft* und immer voran. Erst allmählich gerät der Einfall vor den wenigen, weit verstreuten Kneipen ins Stocken und kommt schließlich zum Stillstand.

Spaziergänger und Radfahrer lösen sich vom Troß und fahnden stundenlang nach dem Idyll und der Halligeinsamkeit, einem kostbaren, fremden Stoff, bis sie von den Sirenen allesamt wieder an Bord zurückgerufen werden und mit dem ablaufenden Wasser verschwinden, so gesetzmäßig und berechenbar wie der Wechsel von Ebbe und Flut. Zurück bleiben nur die weniger auffälligen Wattwanderer, Erholungs- und Sommergäste, die in den fünfhundert *Fremdenbetten* Hooges alljährlich fünfundfünfzigtausend Nächte verbringen. So ist es in der Statistik verzeichnet, von der Johannes Hansen nichts weiß. Aus Hansens Fenstern sind auch keine schwarzen Wege zu sehen und auf dem Meer keine Fähren, sondern nur die ein- oder auslaufenden Baumkorkutter der drei letzten Fischer von Hooge. Fährenrouten und Wege verlaufen anderswo. So leer und still wie vor diesen Fenstern wird es auf Hooge erst wieder im Herbst, der im August beginnt, stiller im Winter, wenn das Treibeis, das sich in den Gezeiten verkeilt und zu unüberwindlichen Barrieren auftürmt, jede Fährverbindung unterbricht, manchmal für Wochen; wenn sich das Leben auf Hooge wieder aus den Vorratskellern versorgt und die Post und Wichtigeres aus Flugzeugen und Helikoptern über der Eiswüste abgeworfen wird. Vieles ist dann wieder so, wie es hier lange war. Aber wer auf Hooge will dorthin zurück? Zurück in die Zeiten der großen Entlegenheit und des fauligen Zisternenwassers, das nach den Reetdächern stank, über die es zuvor geflossen war, in die Zeiten der Tranlichter und des Petroleumrußes, des Treibholzsammelns und vor allem der Armut. Dorthin, sagt Hansen, will wohl niemand zurück. Es ist gut, wie es ist, sagt Hansen, nichts soll wieder werden, wie es war.

Wann die neue Zeit begann? Ach, neue Zeiten haben so viele erste Jahre. An zwei Feste erinnert sich Hansen, schöne Feste mit Gedichten und Ansprachen und Musik. Das letzte wurde 1969 gefeiert, das *Wasserfest*, als die Hallig über eine tief in den Schlick eingespülte Doppelrohrleitung glücklich mit dem Wassernetz des Festlandes verbunden war. Fließendes, frisches Wasser! Das Ende der Hooger Wassernot, sagt Hansen, sei ihm sehr bedeutsam erschienen, denn wie oft sei es in der Vergangenheit vorgekommen, daß eine Flut das Süßwasser in den Soodbrunnen und Fethingen versalzte und das Vieh in den Ställen vor Durst brüllte und auch die Menschheit litt. Noch 1962, als die erste der vier großen Sturmfluten des bisherigen Jahrhunderts Hooge heimsuchte und so sehr verwüstete, daß vieles nicht mehr zu retten, sondern nur von allem Anfang an und neu zu machen war, Höfe, Dächer, Wege, ja ganze Warften ... noch damals also mußten sieben Millionen Liter Wasser mühselig vom Festland herübergeschafft werden, um das Übel zu lindern. Und so, sagt Hansen, habe er sich über das Wasserfest auch mehr gefreut als über das *Lichtfest*, das schon zehn Jahre früher gefeiert wurde.

Mit dem Lichtfest, das der Verlegung eines zwanzigtausend Volt starken Kabels gegolten hatte, das Hooge an die Kraft des Festlandes anschloß, sei das alte Halligleben zu seinem Ende gekommen; ein Leben, dessen Beschwerlichkeit sich keiner von den Heutigen vorzustellen vermöchte. Das Kabel schuf diesem Leben eine solche Erleichterung, daß Hansen sich damals fragte, ob dies überhaupt noch das Hooger Leben sei. Mit der Beschwerlichkeit vergingen aber auch viele Künste des Bauerntums, der Fischerei und des Handwerks. Noch im Jahr des Lichtfestes brachte Otto Dell-Missier von der Hanswarft, geachteter Bürgermeister ist er jetzt und Vorarbeiter bei den Deichsetzern, das erste Fernsehgerät auf die Hallig. Die Welt kam dadurch zwar nicht näher, sagt Hansen, aber man konnte sie nun wenigstens aus der Ferne betrachten.

Schön war sie nicht.

Aber vielleicht ist die neue Zeit auch sehr viel älter als die Erinnerung an diese Feste, fast so alt wie Hansen selbst, alt wie der Sommerdeich vor seinen Fenstern. Denn was wäre das neue Hooge ohne diesen Deich? Vielleicht nur noch eine heillos veraltete Kontur auf den Seekarten, die hier ihre Gültigkeit so rasch verlieren; vielleicht nur noch ein zur Wildnis geschrumpftes, verkommenes Land, von Strandastern, Halligflieder und Salzmieren überwuchert und unbewohnbar, ein Land wie Norderoog, dieser dunkle Strich dort draußen im Watt, die *Vogelinsel*. Dort hauste der Einsiedler Jens Sörensen Wand einundvierzig Jahre seines Lebens in einem Pfahlbau und schützte die brütenden Brandseeschwalben, Sandregenpfeifer oder Eiderenten mit einem Prügel vor den Angriffen der Silber- und Sturmmöwen, bis er im Mai des Jahres 1950 in die Irre ging und in einem Priel ertrank. Hansen kannte den Vogelwärter gut.

Auf Norderoog lag noch im letzten Jahrhundert ein Gehöft und lebten Menschen und Vieh; und so wie Norderoog verwildert alles flache Land und fällt ans Meer zurück, wenn es nicht in Stein gefaßt wird und keine Buhnen und Lahnungen die Gezeitenströme mildern. Nach den Verlustlisten, die Hansen vor Jahren aus den Büchern des

Kirchspiels abgeschrieben hat, war Hooge noch vor zweihundert Jahren doppelt so groß wie heute und trug nicht neun, sondern sechzehn – und vor vierhundert Jahren fünfundzwanzig Warften. Hansen war ein Kind, als sich die Obrigkeit entschloß, Hooge und die umliegenden Halligen in Stern zu fassen, um sie dem Festland als Wellenbrecher noch ein, zwei Jahrhunderte lang zu bewahren. Und Hansen war fünfzehn, als man unter der Anleitung holländischer Deichsetzer mit dem Bau jenes Bollwerks dort draußen begann, das die kleinen Springfluten des Sommers, vor allem aber die Wucht der Brandung abhalten sollte; bis dahin war die Küste von Hooge noch in jedem Jahr um die Spurbreite eines großen Pferdewagens vor dem Meer zurückgewichen.

Zur Bauzeit des Sommerdeiches sprach man in vielen Hooger Häusern noch Friesisch. In dieser Sprache war Johannes Hansen über die Erschaffung der Welt und in den Grundrechnungsarten unterrichtet worden; es war die Sprache seiner Kindheit und die der alten Halligen. Aber nun kann man auf Hooge in dieser Sprache nur noch Fragen stellen, sagt Hansen, und man wird die Fragen vielleicht noch verstehen, aber plattdeutsch antworten. Über dem Plattdeutschen habe man das Friesische vergessen. Gewiß, einige von den alten Losungen und auch den friesischen Wappenspruch, den sagen auch die Heutigen noch weiter – *Lewwer duad us Slaav.* Lieber tot als Sklave – in Zierschrift schreiben sie diese bittere Entscheidung an die Wände ihrer Stuben oder halten sie in einem Rahmen unter Glas ... Aber wer unter den Heutigen betet auch das *Vaterunser* noch in der Sprache der Kindheit? *Daan Wale schien oef dae Eerde, allikh oes oen dae Hemmel.* Dein Wille geschehe auf Erden wie im Himmel. Also ist es vielleicht auch gut, daß die alten Halligleute samt ihrer Sprache vergehen.

Noch sind einige da – die Siebzig- und die Achtzigjährigen, der ehemalige Postschiffer Hans von Holdt und seine Frau Maria, die alte Frau Petersen von der Backenswarft und die Klara Joachimsmeier vom Königspesel oder selbst der ehemalige Maschinist und Seefahrer Mextorf, Hansens Nachbar – mit ihm und den anderen könnte Johannes Hansen immer noch das Friesische reden, an den Abenden und ganz wie in den Zeiten, in denen noch nicht jeder für sich und allein in der Dunkelheit vor dem Fernsehen saß. Aber seit seine Frau nicht mehr ist, hat Johannes Hansen kein Verlangen mehr nach diesem Reden und verläßt sein Haus und die Ockenswarft nur noch selten. So bewahrt jeder die Geschichte und die Erinnerung auf seine Art. Hans von Holdt zum Beispiel, der in Ehren alt gewordene Sohn jenes weit über Hooge hinaus bekannten Seehundjägers Heinrich Wilhelm von Holdt (der in seinem Leben mehr als sechstausend Seehunde erlegte) – dieser Hans von Holdt hat nicht bloß einen schmalen, selten geöffneten Glasschrank der Erinnerung, sondern hat in seinem Haus auf der Hanswarft ein *Heimatmuseum* eingerichtet, in dem er gegen eine Mark Eintritt zeigt, was ihm an der Geschichte wertvoll erschien: Ein Nebelhorn, eine Korkschwimmweste, einen Kreiselkompaß und einen Sextanten; in einer Koje eine Strandszene mit Sträuchern, ausgestopften Seevögeln und Sand; Knochen aus einem im Watt freigespülten Friedhof und einen ausgelaugten hölzernen Robbenschläger aus dem Eismeer und Werkzeuge und Möbel des alten Lebens, Bilder …, ach, Hans von Holdt hat bewahrt, was zu bewahren war. Auch die Erinnerung an die Baracken des Reichsarbeitsdienstes, die 1938 und noch Jahre danach auf der Westerwarft standen. Zweihundertfünfzig Arbeiter zogen damals schnurgerade Gräben durch das Weideland, rasterten Hooge in Grundstücke auf und beendeten so die *Allmendewirtschaft*, die schwierige, altgermanische Form des gemeinsamen Landbesitzes. Und dann, sozusagen mit der Einführung des privaten Grundeigentums, sagt Hansen, begann der Weltkrieg. Sechzehn Hooger mußten in diesen Krieg und zugrunde gehen, bis der Krieg schließlich selbst nach Hooge kam: Holdt ruderte damals vier Halligleute in seinem Postboot die zwei Seemeilen nach Pellworm hinüber, als plötzlich ein Flugzeug rasend und entsetzlich größer wurde, einen Herzschlag lang über ihnen und schon wieder hoch am Himmel war, noch bevor sich das Wasser über dem Einschlag der Feuergarben wieder geglättet hatte. In Pellworm trug Holdt damals zwei Tote an Land.

Anders als der Postschiffer Holdt, dem die zerschlissenen, wertlosen Dinge der Geschichte gleich lieb sind wie die kostbaren und der seine Sammlungen immer noch ergänzt und wieder und wieder ordnet, hütet seine Nachbarin Klara Joachimsmeier in ihrem Haus nur Kostbarkeiten, von denen die jüngste und zarteste dreihundert Jahre alt ist. Klara Joachimsmeier hat ihre Wohnung, ihr ganzes Haus zum Museum gemacht; und wie Hansens Haus trägt auch dieses noch das alte Reetdach, die Wände sind mit Muschelkalk verputzt und bis an die Decke mit Delfter Kacheln geschmückt, die biblische Bilder tragen. *Königspesel* – seinen Namen trägt dieses Haus nach einer einzigen Nacht, die ein König darin verbracht hat. Es war der Däne Friederich VI., der im Sommer nach der großen Frühjahrsflut des Jahres 1825 nach Hooge kam, um das Elend seiner Untertanen zu inspizieren und dann vom schweren Wasser an der raschen Weiterfahrt gehindert wurde. *In der Nacht zwischen dem 3ten und 4ten Feber war eine Fluth wie seit Menschengedenken nicht* – hatte der Hooger Pastor Anton Wilhelm Conrad Schmidt über das Unglück der Hallig ins Kirchenbuch geschrieben – *3 Warften, Klein- und Großsüderwarft und Fedder Bandixwarft, sind gänzlich mit ihren Wohnungen und Bewohnern untergegangen. Außerdem sind die 5 westlichen Warften größtenteils zertrümmert ... 25 Menschen haben hier in Einer Schreckensnacht das Leben eingebüßt, davon sind 5 im Bette ertrunken, die übrigen 20 mit ihren Wohnungen vergangen ... Die übrig gebliebenen Halligbewohner sitzen mehrenteils weinend, durchnäßt, hungernd und frierend auf den Trümmern ihrer Hütten ...*

Der Herr aus Dänemark verfügte damals die Erhöhung der Warften und eine Kollekte gegen die Not. So war es oft nach den großen Fluten und so blieb es auch: Hohe Herren kamen, im letzten Jahrhundert eben ein dänischer König und in diesem ein deutscher Bundespräsident wie noch 1962 einer namens Lübke, sie kamen alle in großer Begleitung, bedauerten die Verwüstungen und verordneten Maßnahmen und Hilfe. Und dann wurden eben wieder einmal die Warften erhöht, die Deiche verstärkt und die Häuser fester gebaut. Aber die Flut stieg allen Maßnahmen nach. Auch nun, nach einer langen Zeit der Ruhe, scheint sich der Spiegel des Meeres wieder zu heben, von Jahr zu Jahr, fast unmerklich langsam und unaufhaltsam und kalt.

Klara Joachimsmeiers Haus jedenfalls ist immer noch gerüstet für hohen Besuch. Der Kapitän Tade Hans Bandix, einer von dreißig Kapitänen und vielen Seefahrern, die Hooge hervorgebracht hat, ließ dieses Haus 1760 errichten und stattete es mit allen Kostbarkeiten aus, die er auf seinen Fahrten sammelte, bis er vor der Küste Spitzbergens mit seinem Schiff im Eismeer versank. Sechzig Jahre lang hat Klara Joachimsmeier Fremde durch dieses Haus geführt; seltene Gäste zuerst, dann Reisegruppen, schließlich die Horden von den Fähren. Sechzig Jahre lang hat Klara Joachimsmeier am Beispiel der Erlesenheit ihres Porzellans aus Tsingtau und Meißen, der italienischen Alabasterfiguren und Rubingläser, der Standuhr des Londoner Meisters Sam Honeychurch und japanischer Teebrettmalereien von der Blütezeit des Walfanges in der Arktis erzählt, vom Reichtum des Tade Hans Bandix und aller Hooger Kapitäne des siebzehnten und achtzehnten Jahrhunderts. Und von der großen Stille hat Klara Joachimsmeier erzählt, der Stille auf Hooge nach den Abschiedstagen, in denen die *Grönlandfahrer* zum Walfang ins Eismeer oder die *Ostindienfahrer* nach dem Pazifischen Ozean aufgebrochen waren.

Aber aller Reichtum der Seefahrt ging an Hooge vorüber. Denn viele Hooger, die zu Ehren, zu Geld oder gar zu Kapitänswürden kamen, nahmen irgendwann einen fremden Namen an, nannten sich so, wie sie von den holländischen Reedern genannt wurden, und ließen sich in einer Küstenstadt des Festlandes nieder. *Rauschende, schwarze, langmähnige Wogen kommen wie rasende Rosse geflogen* – so hat Detlev von Liliencron, der Dichter und preußische Kirchspielvogt auf der Insel Pellworm, die Sturmflut beschrieben. Und wer wollte denn sein Haus und seinen im Eis oder in der Tropenglut unter Gefahren erworbenen Reichtum auf einer Hallig hinterlassen, wo ihm alles und in einer einzigen Nacht von einem solchen Wasser wieder genommen werden konnte?

Aber so bedrohlich dieses schwarze Wasser den Halligen auch stets geblieben ist und mit welcher Wucht auch immer sich die See gegen ihre Küsten warf – von den alten Hoogern spricht keiner groß von der Sturmflut, ohne danach gefragt worden zu sein. Wozu auch? Das mag den Sommergästen oder zugewanderten Festländern überlassen bleiben, die in der Flut hartnäckig mehr sehen wollen als Wasser, dem Pastor Dietrich Heyde etwa, der in seiner Kirche Lichtbildervorträge über die Sturmflut hält, dazu Psalmen hersagt und mit einem Leuchtpfeil von der Kanzel herab auf die Schaumkronen besonders großer Brecher zeigt. Auf einer Leinwand vor dem Altar führt Heyde den Fremden das Meer vor, wie sie es noch nie gesehen haben, den kleinen, überfluteten Friedhof der Kirchwarft, umgestürzte Grabsteine in der Gischt, gleißende Wogen, die über die Warften hinwegrollen und sich an Zäunen und Hausmauern brechen undsofort.

Doch, die Bilder sind wahr und manche sind schön, die Hooger haben sie nicht erst auf der Leinwand gesehen, die Hooger erinnern sich. Und der Pastor ist eben noch jung und begeistert. Dietrich Heyde ist der dreiunddreißigste Pastor, den man auf Hooge zählt, und kommt wie die meisten seiner Vorgänger vom Festland und schreibt wie die meisten seiner Vorgänger an der Chronik der Fluten weiter. Soll sein. Aber Sache der Halligleute ist es nicht, den Sommergästen Worte wie *Blanker Hans* immer wieder als den Namen der Nordsee vorzusagen oder ihnen wieder und wieder den Unterschied zwischen einem bloßen *Landunter* und der *Sturmflut* auseinanderzusetzen. Wer den Unterschied erfahren will, wird ihn erfahren. Nicht, daß man auf Hooge etwas gegen Belehrungen einzuwenden hätte – die jungen Leute vom Festland wie der Wattführer Dirk Post oder der Vogelwart Stefan Bräger, Naturschützer und Biologen, die auf der Hanswarft ihre *Schutzstation Wattenmeer* betreiben, halten doch auch Vorträge und zeigen Filme und Ausstellungen – aber warum sollten die Hooger sich nun auch noch in Lehrstunden mit dem Meer beschäftigen, mit dem sie ohnedies seit Jahrhunderten beschäftigt sind?

Aber gut. Pastor Heyde ist ein braver Mann; ganz anders zwar als sein Vorgänger, der Pastor Speck, dem man nachsagt, er hätte unter seinem Ornat stets das Ölzeug getragen, um nach dem Gottesdienst schneller wieder unter Segeln zu sein, nein, ein Mann der See ist Heyde nicht; aber ein braver Mann. Seit die Bohlsens ihrer Trunksucht wegen für sechs Wochen ans Festland mußten, er nach Schleswig und sie nach Bredstedt, sorgt sich der Pastor auch um Johannes Hansen. Hansen war ja nach dem Tod seiner Frau zu den Bohlsens in Kost gekommen. Und schließlich war Pastor Heyde auch an Bord, als der Krabbenfischer und sozialdemokratische Gemeindevertreter Paul Hermann von Holdt, Hans von Holdts Sohn, gemeinsam mit dem Fischer Ocke Friedrichsen und einer ganzen Kutterflotte von den Halligen nach dem Festland fuhr, um dort gegen die Vergiftung der Nordsee zu protestieren. Zwar ist das Wasser um Hooge immer noch sauberer als die Küstengewässer, weil eine den Hoogern gnädige Strömung die Jauche aus der Weser- und Elbmündung weit hinaus in die Deutsche Bucht und erst dann hart nach Norden treibt – aber Paul Hermann von Holdt erfährt vom schlimmen Zustand der Nordsee immer wieder aus seinen Grundschleppnetzen, wenn er die Steertknoten öffnet und die Sortiermaschine ihm seinen Fang entschlüsselt. Holdt hat schon vor Jahren gesagt, daß selbst ein Meer sterben kann.

Viel Dreck, viel Protest und alles umsonst, pflegt Hansens Nachbar Theodor Adolf Mextorf zu sagen, wenn die Rede auf das Meer kommt – gegen die allmächtige Verbindung von Blödheit *und* Gier bliebe ja doch jeder Protest wirkungslos; denn ehe die Nordsee nicht tot sei wie ein Trog voll Salzsäure, würden die Verbrecher in der Wirtschaft und im Staat nichts, aber auch gar nichts begreifen. Zweiundvierzig Länder hat der Erste Maschinist und Schiffsingenieur Theodor Adolf Mextorf in seinem Leben gesehen; als einziger von vier Söhnen einer alten Halligfamilie ist er aus dem Krieg zurückgekehrt und hat dann Korinthen aus Afrika und Erdöl aus Lateinamerika geholt, hat Hunderte Häfen von der Seeseite fotografiert, die immer gleichen Kräne, Kaimauern und das Dickicht der Masten, hat das Nordlicht und das Kreuz des Südens gesehen und ist in einem Orkan vor der türkischen Küste gestrandet. Selbst jetzt noch, mit zweiundsiebzig Jahren, wird er für einige Sommerwochen an Bord eines dreimastigen Klippers wieder die Maschinenaufsicht führen, wird nach Nordafrika reisen und wieder nach Hooge zurückkehren und hier doch wieder sein, was er immer gewesen ist: Ich bin der Bösewicht unter den Hoogern, sagt Mextorf über sich selbst, ich bin der Querulant.

Der Maschinist hat sich die Zeichen der Zeit immer selber gedeutet und dabei den Frieden des Fortschritts manchmal gestört: Seit Jahren liegt er mit dem Fischer Ocke Friedrichsen in einem Gerichtsstreit um das Aussehen der Warft, das Friedrichsen mit seinem Hausbau gestört haben soll. Und obwohl sein eigenes Haus bequem und geräumig ist, vermietet Mextorf keine Zimmer an Sommergäste wie viele andere Hooger, wie selbst der Bürgermeister Dell-Missier, der am Feierabend, nach seiner Arbeit am Deich und den Buhnen und nach der Stallarbeit, nun auch noch an zwei neuen Ferienwohnungen für seine Hausgäste baut. Aber Mextorf will keine Fremden im Haus. Er verleiht auch keine Fahrräder wie Jürgen Diedrichsen von der Backenswarft, kutschiert keine Gäste im Pferdewagen über das Land wie Heiner Brogmus, will auch kein Lokal und keinen Verkaufsstand eröffnen und macht selbst die Vergangenheit nicht zugänglich wie Hans von Holdt oder Klara Joachimsmeier. Eine alte Schiffskajüte in seinem Keller hat der Maschinist allein für sich und seine Erinnerungen aus Strandgut und Wrackteilen zusammengesetzt. Unter den Bullaugen dieser Kajüte sitzt er an vielen Nachmittagen, blättert in verjährten Journalen und Karten und betrachtet seine Aufnahmen von Palmenpromenaden und Klippen, während im Erdgeschoß über ihm seine Frau, die ehemalige Posthalterin und Funkerin von Hooge, Hemden bügelt.

Einmal im Monat versammeln sich im *Cafe Seehund* auf der Hanswarft die drei christdemokratischen und vier sozialdemokratischen Gemeindevertreter vor den Bürgern von Hooge, um dort die nächste Zukunft der Hallig öffentlich zu besprechen, Klagen zu hören oder Beschlüsse zu fassen. Theodor Adolf Mextorf war lange nicht mehr im *Seehund* und ist mit der Gemeindeversammlung dort eigentlich nur in einem wichtigen Punkt gleicher Meinung: Die Landesregierung in Kiel möge den Halligleuten und der gesamten Küste Nordfrieslands mit ihren Gesetzen und Phantasien über den rechten Naturschutz vom Halse bleiben. Denn was tut diese Regierung an der Ostseeküste, in Kiel!, wo man die großen Gezeitenströme nur vom Hörensagen kennt? Beschließt sie etwa ein Verbot der Bombardierung des Watts und all dieser idiotischen Schießübungen der Armee in der Meldorfer Bucht? Oder verbietet sie die Ölbohrung und die Tankerreinigung auf See oder auch nur die Dünnsäureverklappung, die zwanzig Seemeilen vor Hooge das Meerwasser zur Giftbrühe macht? Einen Teufel tut diese Regierung. Nichts davon ist verboten. Alles ist erlaubt. Um aber über diese Sauereien hinwegzulügen, erklären die Kieler nun das Wattenmeer zum *Nationalpark* und beschließen eine Litanei unsinniger Vorschriften, ein Gesetz, das weite Küstenstriche in *Tabuzonen* verwandelt und den Hoogern verbietet, die Außensände, die Seehundbänke und viele Wattflächen auch nur zu betreten. Ja verflucht, wohin sollen wir denn gehen, fragt man im Cafe Seehund, wohin, wenn nicht ins Watt?

Paragraphen! Als ob das Land und die Sände durch Paragraphen zu schützen wären. Ohne unsere Deiche, ohne unsere Buhnen und Lahnungen, heißt es im Cafe Seehund, gäbe es hier schon längst nichts mehr zu schützen. Und wie soll denn überhaupt etwas tabu werden, was ohnedies von der Brandung zerschlagen und von den Gezeitenströmen in die freie See verfrachtet wird? Die Außensände verlagern sich doch in jeder Sturmflut zehn Meter und mehr von West nach Ost; der Japsand driftet auf Hooge zu und wird die Hallig noch innerhalb der nächsten fünf, sechs Jahrzehnte erreichen; der Norderoogsand driftet auf die Vogelinsel Norderoog zu, wird dort auflaufen, wird die Insel ersticken und weiterwandern und schließlich in den immer tiefer und breiter werdenden Prielen verschwinden. Noch vor zwanzig Jahren konnte Paul Hermann von Holdt nur mit einem Plattbodenfahrzeug von höchstens siebzig Zentimetern Tiefgang zum Krabbenfang; jetzt erlauben ihm die Meeresverhältnisse einen siebenunddreißig Tonnen großen Baumkorkutter, der fast zwei Meter tief im Wasser liegt. Und die Priele um Hooge vertiefen und verästeln sich weiter, verbinden sich miteinander und werden den Wattsockel der Hallig endlich umspülen wie das Wasser eines Burggrabens die Burg. Aber die Priele werden die Hallig nicht schützen, sondern ihr Fundament abtragen, geduldig, Schicht um Schicht.

Wir sind Halligleute, sagen die Hooger, wir kennen das Meer und gehen mit ihm um, wie man mit einem Meer umgehen muß. Wir brauchen keine Tabuzonen, sondern Leitdämme und Deiche, und wir brauchen auch keine menschenleeren Vogelparadiese, sondern Abschußgenehmigungen, bevor uns die von Jahr zu Jahr größer werdenden Ringelgansschwärme mit ihrem Kot noch die letzten Weiden verbrennen.

Die Deutschen sind ein seltsames Volk, sagt der Erste Maschinist Theodor Adolf Mextorf zum Bullauge seiner Kellerkajüte hinaus, ein sehr seltsames Volk. Noch vor ein paar Jahrzehnten haben sie ganze Kulturen zugrunde gerichtet und Millionen Menschen verschleppt und erschlagen und wohin sie auch kamen, nur vernichtet und verwüstet. Und jetzt? Jetzt träumen sie von einer stillen, menschenleeren Natur und errichten um jeden verseuchten Seehund, um jeden Borstenwurm ein Gesetz.

Dem Hufschmied und Kirchenrechnungsführer Johannes Hansen ist es nun gleich, daß er die Seehundbänke in der Weite vor seinen Fenstern nicht mehr betreten wird. Er hat sich das Andenken der Tiere ja in Bernstein bewahrt. Johannes Hansen fragt sich und andere auch nicht mehr, ob die Hallig im Meer verschwinden, unter dem Getrampel der Sommergäste zugrunde gehen oder sich bis zur Unkenntlichkeit weiterentwickeln wird. Wie es ist, ist es gut.

Auf Hansens Tisch liegt neben der Heiligen Schrift ein in Ochsengallepapier geschlagenes, handgeschriebenes Buch. Das ist die Geschichte von Hooge. Hansen hat sie aus den Büchern des Kirchspiels abgeschrieben, Jahrhundert für Jahrhundert, bis ihm die Schrift undeutlich wurde und seine Frau weiterschrieb. Und doch kamen beide nicht bis in die Gegenwart. Über der Abschrift der Verlustlisten des Sturmflutjahres 1825 starb die Frau. Seit neun Jahren lebt Hansen allein. Jeden Tag um die Mittagszeit erhebt er sich von seinem Tisch und geht in das Schlafzimmer. Sein Bett steht an der Wand links vom Fenster. An der gegenüberliegenden Wand steht das Bett seiner Frau, das er mit einem wollenen Überwurf für immer zugedeckt hat. Um die Mittagszeit ist es in diesem Zimmer auch bei stürmischem Wetter sehr hell. Ohne sich zu entkleiden, liegt

Johannes Hansen auf seinem Bett, jeden Tag eine Stunde lang, oft ohne zu schlafen und ohne auch nur die Augen zu schließen, ein Mann, der zeitlebens schmal geblieben und im Alter beinahe wieder zart geworden ist.

(1985)

Habach

Ein Andachtsbild aus Oberbayern

Schwarzerlen sollen um den Dorfweiher herum wachsen, Feldulmen, Holunder und Silberweiden. Das haben die Ingenieure aus Wolfratshausen den Habachern empfohlen. Sogar schriftlich. Und im Wasser des Weihers sollen Sumpfdotterblumen und Schwertlilien gedeihen. Schwanenbinsen, Schlangenkraut und Schwimmknöterich. Auch Teichsimsen und Seerosen.

Aber im Brandfall – heiliger Sankt Florian, bewahre uns davor – hat der Weiher nach wie vor als Löschteich zu gelten, dessen Wasserspiegel sich unter den Rüsseln, Schläuchen und rotlackierten Dieselpumpen der Freiwilligen Feuerwehr kräuselt und senkt.

Das Ufer ist also zum einen Teil zugänglich zu halten und mit gewaschenem Kies zu bestreuen. Zum anderen Teil ist es zu bepflanzen. So wie das im Verlauf der modernen Jahre kahl und kahler gewordene Dorf auch.

Aber die ohnedies grüne Flur ist zu »bereinigen«. Und das heißt: Grundstücke, Viehweiden und Felder sind endlich um der allgemeinen Wirtschaftlichkeit und Verwaltbarkeit der Landschaft willen zu größtmöglichen Nutzflächen zusammenzulegen. Stall zu Weide, Vieh zu Stall, Feld an Feld und Feld zu Hof.

Außerdem sind Misthaufen zu entfernen, Jauchegruben

trockenzulegen, alte Ställe abzubrechen, nackte Fassaden mit Lüftlmalereien zu bedecken oder mit Holz zu verkleiden, Straßen zu verlegen und Fußwege zu pflastern.

Auch »die Gastwirtschaft ›Fischerrosl‹ ist zu modernisieren. Der östliche Kirchenweg ist zur Sicherung des Wurzelbereichs der Bäume im Niveau zu heben. Die Wurzeln sind wieder mit Erde zu bedecken ...«

Über der Litanei der vorgeschlagenen *Erneuerungsmaßnahmen* der Ingenieure aber flimmert ein Andachtsbild, das längst zum Wallfahrtsziel einer länger und länger werdenden Prozession von nervösen Sommerfrischlern, Ausflüglern oder Stadtflüchtlingen geworden ist: Das stille Dorf aus Efeu und Holz, Leder, Glocken und Juchhe.

Es waren drei Diplomingenieure und ein Bauingenieur aus Wolfratshausen, die sich angeboten haben, das »Erscheinungsbild des Dorfes« – es heißt Habach und könnte ebensogut anders heißen – an dieses Andachtsbild anzugleichen. Die Ingenieure haben versprochen, »die Identität des Dorfes zu bewahren, kulturelles Erbe zu sichern, das dörfliche Erscheinungsbild zu verbessern und das Heimatgefühl zu vertiefen«.

Sie haben der Gemeinde ihre schriftlichen »Vorschläge zur Dorferneuerung« vorgelegt, und man ist ihnen mit Ehrfurcht und Hochachtung begegnet.

Habach liegt im Südosten des oberbayrischen Hügellandes zwischen Ammer und Isar und könnte ebensogut anderswo liegen. Südlich des Dorfes erhebt sich der Hohe Lüß 798 Meter, und der Stöcktesberg gar nur noch 757 Meter über den Spiegel des weit entfernten Meeres, und ebensogut könnten es andere Hügel sein, die sich dort erheben und dahinrollen. Der Sindelsbach, der in einem hier gesungenen Lied als »Sindelsbächelein, so frisch und quellenrein« dahinfließt, bleibt im Dorf selbst unsichtbar.

Er fließt hier in Rohren »Tria Hol Trio Oho Oho Tria Trio«.

Von den fast siebenhundert Habachern sterben jährlich ungefähr zehn, »aber dafür«, sagt der greise Pfarrer Eugen Job, dessen Sonntagsmessen in den letzten Jahren immer länger geworden sind, »werden auch zehn Kinder geboren. Das hebt sich also auf. Alles hebt sich auf...«

»Lesen Sie das«, antwortet der Bauer Josef Plinganser, der als Bürgermeister von Habach jeden Vormittag außer Samstag und Sonntag im Gemeinderat seine Amtsstunden hält, und schiebt einige Fremdenverkehrsprospekte und zwei Festschriften über den Tisch. »Da steht alles drin und wir brauchen nichts mehr miteinander reden...«

Der Bürgermeister redet in feinem Hochdeutsch. Er kann das, weil er »in jungen Jahren« bei einer Volksbühne gewesen ist. Damals durfte er den, der er jetzt ist, nur spielen. Und auch das nur manchmal. Aber jetzt kann sich Josef Plinganser die Rollen selber aussuchen: Er ist Bauer, Bürgermeister, Mitglied in allen Vereinen des Dorfes, in mehr als der Hälfte der Vereine Vorstandsmitglied und in einigen selber der Vorstand.

Hinter neun verschiedenen »Geleit-« und »Grußworten« finden sich in den Festschriften drei Vereinsgeschichten: Der Sportverein, die Freiwillige Feuerwehr und die Blasmusikkapelle feiern ihre Bestandsjubiläen. Zwischen Anzeigen von Futtermittelfirmen, Baustoffhandlungen, Landmaschinenhändlern und Bausparkassen ist die Rede von »hervorragendem Geist, Harmonie und Gleichklang«, von »Zusammengehörigkeit, Disziplin, Kameradschaft und freiwilliger Unterordnung, festlichen Tagen und selbstlosem Einsatz, weit über die Heimatgrenzen hinaus...«

Aber was ist die dröhnende Leere der immergleichen Worte schon gegen den Stolz der Gruppenbilder? Da stehen sie – die Blasmusiker und die Sportler: Herausgehoben aus der Arbeit und zurechtgerückt, mit der feierlichen Miene der Verewigung.

Von links nach rechts: Die erste Reihe kniet, die zweite steht, und auf der langen Klappbank einer Gastwirtschaft: die dritte Reihe. Alles ragt und starrt ins Bild hinein und sagt: Das sind wir. Erinnert euch.

Nur die Freiwillige Feuerwehr hat diesmal auf ein Mannschaftsbild verzichtet und statt dessen das neue Tanklöschfahrzeug mit Tragkraftspritze und Vorbaupumpe abbilden lassen. Aber ein Bild der Feuerwehr hängt ohnedies im Hausgang vieler Höfe neben einem Kruzifix, einer blauweißgoldenen Muttergottes oder gar einer Luftaufnahme des Anwesens.

Auf allen Bildern und Mitgliedslisten der Vereine wiederholen sich Namen und Gesichter. Denn hier genügt es nicht, nur einmal oder da und dort aufzuscheinen. Wer hier leben will, hat ganz da zu sein: Mitglied bei der Feuerwehr, dem Sportverein und der Musikkapelle hat es hinter einem ehrenvollen Namen zu heißen!

Mitglied der Weidegenossenschaft, des Schützenvereins, der Raiffeisengenossenschaft und des Veteranenvereins, der Notschlachtgemeinschaft und der CSU! In den Kirchenchor, den Obst- und Gartenbauverein und den Mütterverein dürfen auch die Frauen. Wehe, wer sich ausschließt.

Josef Werwein ist bei keinem einzigen Verein Mitglied. Wenn er manchmal von einer unruhigen, rennenden Kinderprozession begleitet durchs Dorf geht, heißt es: »Der Bruder Josef kommt.«

»Bruder Josef! Bruder Josef!« kichert und gluckst es in dieser Prozession.

»Dieser Bruder Josef«, grinst man an den Wirtshaustischen oder während eines kurzen Gesprächs, nach dem man wieder auf den Traktor steigt, und auch am Gemeindeamt weiß man, was das für einer ist: »Dieser Bruder Josef.«

»Mein Name ist Josef Werwein«, sagt Josef Werwein, »ich wohne hier zur Zeit im Moos. Ich glaube, daß ich der minderwertigste Bruder bin im Dorf und deshalb heiß' ich auch Bruder Josef.«

Zwischen dem alleinstehenden Haus des Josef Werwein und den zusammenstehenden Häusern des Dorfes liegen nicht nur zwei Kilometer Weideland. Die Wege, die zu den Viehweiden führen, sind fest und asphaltiert. Der Weg zu Werweins Anwesen ist es nicht: Ein dichter Grasstreifen trennt zwei Fahrrinnen voneinander. Bei nassem Wetter und im Winter ist es ein mühsamer Weg.

Ausgerechnet in Habach, wo sich die Kirche des heiligen Ulrich schon seit neunhundert Jahren über die Köpfe erhebt und wo Himmel und Hölle katholisch sind, mußte Josef Werwein Adventist werden.

Adventist! Einer, der den Sabbat hält und dem das Jüngste Gericht gar nicht schnell genug kommen kann. Der Werwein, der glaubt doch, daß unser Herr Jesus nicht erst am Jüngsten Tag, am Ende der Zeit, so wie es die Heilige Römische Kirche sagt, wiederkommen wird, um zu richten die Lebendigen und die Toten – nein, der Werwein glaubt, daß der Herr schon bald, sehr bald wieder niederfahren wird auf die Erde. Und – Kruzitürken! – auch ins Wirtshaus kommt er nie, frißt schon zum Frühstück nur Eisenkraut, Spitzwegerich und – rohe Kartoffeln. Und lebt zusammen mit einer Frau, mit der er nicht verheiratet ist, und im Krieg ist er auch nicht gewesen und spielt die Geige am hellichten Tag und singt dazu und betet laut!

»Jesus, Jesus, laß an deiner Brust mich fleh'n, da die Wasser näher rauschen und die Wetter höher zieh'n ...«

Josef Werwein hat sich hingehockt in eine Mulde und hält die Geige fest in den Händen. Hier ist es ruhig. Hier ist es windstill. Er spielt die Geige nur noch selten. Jetzt, wo die Hände von der »vielen Erdarbeit und Holzarbeit schwer geworden sind«. Aber er spielt immer, wenn er sich »offenbart«.

Während der Alte erzählt, läuft in dieser Erdmulde, eine halbe Wegstunde von seinem Hof entfernt, die Zeit rückwärts. An manchen Stellen seiner Erzählung verfällt Josef Werwein in einen andächtigen Gesang. Dann hebt er die Geige ans Kinn, führt den Bogen schwer über die Saiten und ist wieder ganz in seinen Liedern.

»Zionslieder heißen die.«

Er, Josef Werwein, war früher einmal auch im Habacher Kirchenchor. Aber als er dann, in den dreißiger Jahren, mit seinen Adventkalenderzetteln und dem Sabbathalten angefangen hat, mußte er gehen.

Er ist nicht im Krieg gewesen. Nach fünf Tagen voller Lärm und Getöse in München haben sie ihn wieder heimgeschickt.

»Laßt den da in Ruh. Der braucht a Ruh.«

Aber in Habach haben sich manche aufgeregt, daß er da war und nicht beim Feind. Und dann hat er für die, die beim Feind waren und nicht wiedergekommen sind, Kreuze aus Birkenholz gemacht und ihre Namen auf Schilder geschrieben. Das war eine bittere Arbeit.

In einer der letzten Nächte des Krieges hat Werwein einen bösen Traum gehabt, in dem lautes Wasserrauschen und wilde Tiere vorgekommen sind. Das war das Zeichen:

Er hat aus den Teilen einer Panzerfaust, die er gefunden und entschärft hat, und aus altem Bauholz einen Karren gebaut. Darauf hat er seinen Hausrat, seine Kleider und seine drei Kinder gelegt.

»Sie haben geschlafen wie bezaubert und sind nicht aufgewacht.«

Und mit dem Karren ist er fort aus dem Dorf, über den Kiniberg hinauf, hierher nach Wiesleiten, wo er alleine war.

Hier hat er ein Haus gebaut. Hier ist er daheim. Hier, im Moos.

»Daheim, daheim, wie gerne möcht ich heim, um selig bei dem Herrn zu sein.«

Aber das wunderbarste Lied, das Josef Werwein kennt, heißt »Ich bete an die Macht der Liebe«. Denn die Feindesliebe ist die größte Macht der Welt.

An einem Abend ist er in Habach geschlagen worden, daß ihm die Zähne herausgebrochen sind. Dann hat man ihm Käs' und Butter gegeben. So ist er »stillschweigend weggegangen«.

Aber so mächtig seine Liebe zu Jesus Christus, zum Herrn der Welt, auch ist, so tot ist seine Liebe zu Mathilda Kraft. Seine Frau ist gestorben, die Kinder sind fort. Er war allein. Und jetzt werden es auch schon wieder bald elf Jahre, daß er mit der Mathilda Kraft in dieser Einöde lebt.

Aber sie haben längst alle schönen Namen füreinander verloren. Er sagt nicht mehr »Thilde« oder »Thuid«, so wie im ersten Jahr, sondern nur noch »du herrschsüchtige Haushälterin Mathilda Kraft«. Und sie sagt längst nicht mehr »Josef« zu ihm, sondern nur noch »der da« und »du da«. Und in Habach sagen sie »der Bruder Josef und seine Mathilda«.

Wenn die Mathilda Kraft stirbt, dann wird sie sich nur deswegen in Habach begraben lassen müssen, weil sie sich die Überführung nach Bad Appach hinauf nicht leisten kann. »Das sind«, sagt sie, »ja über vierhundert Kilometer. Was das kostet!« Und dort würde ihr vielleicht auch keiner ein Blümel aufs Grab legen.

»Schon am ersten Tag«, erzählt Mathilda Kraft und stellt die Einmachgläser aufs Regal, »wie ich mich hier das erstemal frisiert hab', ist der da gekommen und hat gesagt: Eines will ich dir gleich sagen, hat er gesagt: hier gibts keine Frisur und keinen Scheitel, Leute werden auch keine auf den Hof hergezogen, keine Verwandtschaften, keine Freundschaften, keine Fremden ...«

»Ja«, hatte da die Mathilda Kraft geschrien und geweint, »bin ich denn hier in einem Gefängnis ...?«

»Das Gebiet um Habach«, heißt es in einem geologischen Urteil, das im Gemeindeamt verwahrt wird, »ist eine typische Eiszerfallslandschaft, mit Oser und Kamesbergen, Toteiskesseln, Grundmoränen und charakteristischen Kalkflachmooren in den flachen Talbereichen.«

An öffentlichen Einrichtungen gibt es in der Habacher Eiszerfallslandschaft ein Leichenhaus, einen Friedhof, den Sportplatz und das Feuerwehrhaus mit dem Notschlachtraum, die Pfarrkirche des heiligen Ulrich, eine Telefonzelle, eine Schule und die Gemeindewaage, mit der die Schwere eines Feldertrages oder ein letztes Mal das Lebendgewicht jener Rinder festgestellt wird, die geschlachtet werden.

Und es gibt drei Gastwirtschaften in Habach, 10 Kleingewerbebetriebe, 42 Bauernhöfe, 176 Schweine, 12 Pferde und 73 Anbindeställe, in denen 498 Kühe und 524 Jungrinder »aufgestellt« ihrer Verwertung entgegenleben. Die Hühner sind nicht zu zählen.

Die durchschnittliche jährliche Niederschlagsmenge beträgt 1200 Millimeter pro Quadratmeter Heimaterde.

»Und woaßt, wia da Regen kimmt?« fragt die Bäuerin Erna Hemmetsberger durch die Küche, durch die offene Tür in den Hausgang hinaus und weiß sich die Antwort selber: »Durchs Bet'n. Bet'n muaßt. Wer net bet', der is koa Mensch.«

»Es gibt koa Leben ohne unsern Herrgott«, aber »ohne den Fernseher do«, sagt die Bäurin, »mecht i aa net leben.«

Das Fernsehgerät läuft den ganzen Tag. Während der Jause, während des Mittagessens, auch während der Stallarbeit, wenn niemand vorm Bildschirm sitzt. Und am Abend sowieso.

»Wirklich, ohne Fernseher kunnt i net leben. Fernsehen! Ideal is des! Ideal!« Man sieht »bis nach Amerika und Indien«, und auch »die Kinder werd'n schlauer«. Die wissen jetzt Dinge, die früher ein Hundertjähriger nicht gewußt hat.

Die Tür gleich neben dem Fernsehgerät führt in den Stall. Dort steht der einzige Stier dieser Gegend. Denn in Habach verläßt sich kaum noch ein Bauer auf die schnaubende Tollpatschigkeit einer veralteten Fortpflanzungsprozedur. Wenn eine Kuh »rindert«, kommt der Bauer zwei-, dreimal am Tag nachschauen, ob das Vieh auch feucht genug ist. Und dann kommt der Besamungstechniker aus Weilheim mit seiner Kühlbox.

Und die Habacher Bauern können mit dem tiefgekühlten Samen von »fünfzehnerlei Stier« die Kraft und das Aussehen des nachgeborenen Rindviehs gestalten. Gegenwärtig werden fast alle Habacher Kühe mit dem Samen eines Weilheimer Stiers namens »Romulus« gedeckt. Gesehen hat den Stier noch niemand. Aber die Kälber sind gut.

Wenn nur der Milchpreis und der Kälberpreis nicht so niedrig wär'! »So gehts eh net weiter«, sagt die Hemmetsbergerin. Auch die Habacher Bauern haben schon demonstriert gegen diese bauernfeindliche Regierung. »A Demonstration! In München. Freili!« Für nur fünf Mark sind sie alle nach München gebracht worden. In großen Bussen. Aus dem ganzen Landkreis.

Denn »entweder es kimmt bald de CSU oder es schnackelt. Und woaßt, wos schnackln hoaßt?« schreit die Hemmetsbergerin jetzt in den Stall hinaus: »A Kriag kimmt! A Kriag!«

Aber Leo fürchtet sich nicht. Er ist »ein Künstler«. Leo Langmayer, der Steinmetz und Kreuzeschmied von Habach, hat in seinem Büro schon jetzt jenen Grabstein stehen, den man ihm dereinst auf seinen eigenen Grabhügel setzen wird. Und auf diesem fast 30 Zentner schweren Kristalliner steht: »Ich aber habe den Tod überwunden«.

Der Steinmetz gehört zu den Reichsten im Dorf. Schließlich legen die großen Bauern für ihre Grabsteine bis zu zehntausend Mark auf den Tisch, an dem »noch nie gefeilscht« worden ist. Die großen Bauern, wohlgemerkt! Und die Kleinbauern sterben sowieso aus.

Auf dem Habacher Gottesacker – dem Herrgott sei Dank – ist es ja nicht so wie auf den Friedhöfen von Garmisch und München, wo die Grabsteine aus Platzgründen immer kleiner und kleiner werden. Nein, in Habach erkennt man an den Gräbern noch genau und in aller Wucht, was einer gewesen ist, wenn er tot ist.

»Eine gute Arbeit braucht nicht viel Reklame«, sagt der Steinmetz und füllt die Schnapsgläser nach, »Prost! – weil die beste Reklame, die steht am Friedhof.«

Ja, und eines hat Leo, der Künstler, der spätestens nach einem halbstündigen Gespräch weiß, »welcher Stein zu welcher Kundschaft paßt«, aus der Kunstgeschichte gelernt: Künstler sein allein genügt nicht. Zum Sinn für das Schöne muß auch der Sinn für das Geld kommen. Denn was ist zum Beispiel mit einem so fernen und wunderbaren Menschen, wie der Van Gogh einer gewesen ist, geschehen? »Verreckt ist der. Armselig verreckt.«

»Aber keine Angst, wir sterben nicht«, tröstet der hochwürdige Herr Pfarrer Eugen Job seine krumm und schwach gewordenen Schafe, die man heute aus ihrem Ausgedinge zu einem nachweihnachtlichen »Liedernachmittag« geführt hat, »keine Angst, wir kommen nur näher dem Herrscher über Himmel und Erde«. Die Alten kauen an der trockenen Weihnachtsbäckerei. An den Tischen glitzern Brillen, Tränen und Lametta.

Wer dem hochwürdigen Herrn Pfarrer einen Besuch abstattet, wird von der Pfarrersköchin zunächst in eine dämmrige Kammer geführt. Nach kurzer Zeit erscheint Hochwürden, teilt seinen Segen aus und bringt jedesmal eine noch frische Fotokopie der neuesten Weisungen der Bischofskonferenz mit. Aber diesmal, noch in der Tür, schwenkt er einen Ausschnitt der »Münchner Abendzeitung«, auf dem steht, daß das Universum vor 18 Milliarden Jahren entstanden sei.

»Diese Wissenschaftlichkeit wird für die Sonntagspredigt verwendet«, sagt Pfarrer Job und beginnt plötzlich zu schreien: »Das ist der Gottesbeweis! Denn was war vorher? Vor diesem ..., diesem Universum? Vorher und alle Zeit war unser Herrgott! Unser Herrgott!«

Der Habacher Saufrekord hält derzeit beim Normalbier bei zehn Halbe, zuzüglich sechzehn doppelte Schnäpse pro Tag und Mann. Beim Starkbier sind es zwanzig Halbe oder umgerechnet zehn Maß und zehn doppelte Schnäpse täglich.

Aber zwanzig Maß Bier die Woche sind hier nichts Großes, sondern guter Durchschnitt. Das macht im Jahr immer noch knapp tausend Liter Bier pro Mann.

Am letzten Silvesterabend zum Beispiel ist es beim Fahrmüller in der Wirtsstube hoch hergegangen: Rekordversuch! Ein »Wintergast« aus Preußen war auch dabei mit seiner Freundin.

Zuerst ist auch brav gesoffen worden, und jeder hat Striche auf seinen Bierdeckel gemacht.

Aber dann ist es immer lauter und schließlich zum Streiten geworden und dieser ... »Wintergast« hat ums Verrecken nicht zum Stänkern aufgehört.

Und dann! Dann sind sie auf ihn! Und der Sauhund ist plötzlich inmitten eines Dickichts umgestürzter Stühle und verschobener Tische krummgelegen. Und geflucht hat er und sich gewehrt!

Da haben sie ihn so geschlagen, daß er blutend und brüllend zur Stube hinaus und schon am nächsten Tag, es war das neue Jahr, in aller Herrgottsfrühe samt seiner sauberen Freundin aus dem Dorf verschwunden ist.

(1982)

Die vergorene Heimat

Ein Stück Österreich

Wenn der vernichtende Lauf der Zeit ihn schwermütig oder hilflos zornig werden ließ, stieg der Bäkkermeister und Konditor Karl Piaty oft zu einer der neun Dachkammern seines Hauses empor und triumphierte dort über die Vergänglichkeit:

Auch wenn draußen August war und die Luft über den Sattel- und Walmdächern seiner Heimatstadt Waidhofen an der Ybbs in der Mittagshitze zu flimmern begann, konnte es der Konditor hinter herabgelassenen Jalousien doch schon Herbst werden lassen und Winter ..., stapften Holzarbeiter durch den Schnee. Und auch wenn von zwei hundertjährigen Baumzeilen und so vielen Alleen des niederösterreichischen Alpenvorlandes in der *Wirklichkeit* weit draußen vor den Fenstern der Kammer längst nur noch Strünke geblieben waren, von den Menschen, die unter diesen Bäumen in Kompanien oder frommen Prozessionen dahinzogen, nur noch Knochenkalk und Gräber – und von ihren Häusern allein die Grundfesten oder leeres Land, erstanden auf einen Knopfdruck des Konditors doch alle diese Bäume, diese Menschen, diese Häuser noch einmal, so, als ob die Welt verschont geblieben wäre von den Sägen, von den Äxten und der Zeit:

Lichtbild um Lichtbild schob der Konditor an solchen Tagen vor die Linse eines Diaprojektors, ließ blühende oder kahle Landschaften an der Wand erscheinen und Menschen in größtmöglicher Schärfe, Handwerker wie den Wagnermeister Michael Übellacker, der beim Rosenkranzgebet auf dem Friedhof eingeschlafen war und nun schnarchend im Gras unter dem Missionskreuz lag, das war im Jahr 1958; krumme, wunderliche alte Männer wie den Holzschuhmacher Heinrich Dippelreiter, den man mit einem abgelaufenen Glückslos genarrt hatte und der dann unter dem Auge von Piatys Kamera vergeblich versuchte, sein zerknittertes Los am Sparkassenschalter zu Geld zu machen, das war im Jahre 1962 ... Und selbst die mongoloiden Brüder Hans und Toni Brachner grinsten noch wie damals von der Wand, als man ihnen im Wirtshaus unter großem Gejohle Bierkrug um Bierkrug zuschob und sie gegeneinander aufbrachte, bis sie besoffen mit den Fäusten aufeinander losgingen, zwei gehorsame, gutmütige Burschen, die sich dann endlich, das war im Anschlußjahr 1938, an der vernünftigen, wimpel- und fähnchenschwenkenden Menschheit von Waidhofen ein Beispiel nahmen: Über und über mit Hakenkreuzen aus Holz und Blech und bunten Fetzen behängt, rannten die beiden damals durch die Gassen des Städtchens und plärrten einen neuen Gruß in jedes Haustor: *Heilhitlerheilhitlerheilhitler...*

Die Brachnerbrüder und so viele andere Verschwundene aus den achtundsiebzig Jahren seines Lebens, die Köhler, die Sensenschmiede und Strohdecker des Alpenvorlandes, die Eisbrecher, Dampfdrescher, Rechenmacher und Bürstenbinder, alle ließ sie der Konditor an solchen Tagen des Zorns oder der Schwermut noch einmal erscheinen und wieder verschwinden und erleuchtete die Dachkammer mit Bildern einer Welt, der die kartographische Teilung Niederösterreichs zwar die Bezeichnung *Viertel ober dem Wienerwald* zugesprochen hat, deren wahrer Name aber in keinem Atlas aufscheint. Denn jener hügelige Landstrich im niederösterreichischen Südwesten, in den tief eingebettet auch Waidhofen an der Ybbs liegt, wurde von seinen Bewohnern getauft und nicht von den Kartographen: *Mostviertel.*

Wenn er die Geschichte dieser Welt an seiner Wand betrachtete, war der Konditor taub für den Lärm, der aus der Gasse oder dem gegenüberliegenden Gasthof *Zur Linde* zu ihm heraufdrang: Denn wie immer, wenn Karl Piaty mit der Vergangenheit allein sein wollte, schützte ihn ein Plattenspieler, Orchestermusik, vor dem Geschepper der Gegenwart, begleiteten Symphonien die Aufeinanderfolge der Menschen und Zeiten mit jener melancholischen Feierlichkeit, die nach der Überzeugung des Konditors allen Erinnerungen zustand.

Achttausendsechshundert Lichtbilder hat Karl Piaty im Verlauf der Jahrzehnte von seiner Heimat gemacht und sie in einhundertsieben Kassetten und achtzehn schwarzen Ordnern verwahrt; Flußläufe, Hügelketten und Ortschaften mit Namen wie Sankt Peter in der Au, Oed, Wolfsbach oder Strengberg: Im Norden wird das Mostviertel von der Donau umflossen, im Westen von der Enns, grenzt im Süden an die Abhänge der Alpen – und im Osten an flaches, offenes Ackerland, in dessen Weite sich jene Zeilen und Alleen von Apfel- und haushohen Birnbäumen allmählich verlieren, aus deren gerbstoffreichen Früchten *Most* gewonnen wird, ein dem *Cidre* der Normandie und Bretagne ähnlicher Obstwein, dessen Rezeptur man den Kelten der Eisenzeit zuschrieb und der den Bauern jahrhundertelang feiner gebundenen Alkohol ersetzte ...

Gewiß, auch jenseits dieser ungefähren Grenzen, vor allem im benachbarten Oberösterreich, ist das Land im Frühjahr weiß bewölkt von der Blüte der Mostobstbäume;

auch dort bückt man sich im Herbst nach den unter jedem Schritt knirschenden Teppichen aus Fallobst, werden die Früchte oft noch in hundertjährigen Steinmühlen zerrieben, in Spindel- und Kettenpressen zu Blöcken zerdrückt und wird der Saft in geschwefelten Eichenfässern mit Hefe versetzt und zum Most vergoren ... In kaum einem anderen Landstrich aber haben die Kellerbaumeister, Steinmetze, Pressenzimmerer und Korbflechter und alle, die an der Kultivierung dieses herben Getränkes Arbeit fanden, einprägsamere Zeichen hinterlassen als im Mostviertel: langgestreckte, auf den Hügelkuppen hockende Vierkanthöfe, von denen manche ihre Größe und ihren Prunk allein der Mostwirtschaft und nicht dem Ertrag der Felder verdankten; von rostroten Kellerpilzen überzogene, tief unter die Wurzeln der Bäume hinabführende Gewölbe, Obstmühlen aus Urgestein – und Eichenhaine, die nur für die Äxte der Faßbinder wuchsen.

Samhub, der größte Hof des alten Mostviertels, ein riesiger Vierkanter aus unverputzten Ziegeln, liegt nun dicht an der lautesten der drei großen Ost-West-Transversalen Autobahn, Eisenbahn und einer Bundesstraße mit der Nummer eins, die das Mostviertel der Gegenwart in Streifen schneiden. Noch im Innenhof des Gutes ist das Rauschen des Autobahnverkehrs zu hören. Erst tief im Keller wird es still. Immer noch liegen dort in langer Reihe die ungeheuren, neuntausend Liter aufnehmenden Eichenfässer, aus denen ein Schlag gegen die mit kunstvollem Schnitzwerk verzierten Stirnseiten hohl zurückhallt. Die Fässer sind leer.

Einhundertzehn Birnbäume wurden hier innerhalb einer einzigen Woche gefällt, als im Jahr 1938 mit den Vorarbeiten und Rodungen für jene Autobahn begonnen wurde, auf der dann der Krieg ins Land fuhr. Die von den Baumwurzeln gehaltene, schwarze Erde ist verschwunden;

der Mais für einhundertdreißig Stiere, von deren Mast man nun auf Samhub lebt, wächst auf lehmigem Grund. Samhubs Wiesen und Feldraine lagen einmal im Schatten von mehr als tausend Apfel- und Birnbäumen; geblieben sind davon einhundertfünfzig. Der jüngste Hofbewohner, der Erbe, der nichts mehr zu wissen braucht von den Namen dieser Bäume und der Vielfalt ihrer Arten, liegt noch schreiend in einem hellblauen Kinderwägelchen, das vor der ziegelroten Fassade in der Sonne steht und unter seinem Gestrampel schaukelt.

Die Große Speckbirne, die Knollbirne und die Rosenhofbirne, der Triersche Weinapfel und der Mauthausener Limoni ... unweit von Samhub sitzt ein ehemaliger Mosthändler im Sonntagsanzug auf der Hausbank neben dem Hoftor und zählt einem Besucher die Namen des besten Mostobstes auf. Manchmal zeigt er dabei auf einen der hochstämmigen Bäume, deren Schatten schon lang über die Wiesen fallen, und flüstert einen Namen so leise, daß seine Tochter sich zu ihm hinabbeugt und dem Besucher dann das Wort des Vaters laut wiederholt: Johann Strohmayr, Mosthändler im Ausgedinge, ist einhundertsechs Jahre alt und siebzig seine jüngste Tochter Maria, die ihm das Gewicht dieses Alters tragen hilft und zu seiner Stimme und seinem Ohr geworden ist.

Was waren das für Zeiten, in denen Johann Strohmayr, der nun so müde und zusammengesunken in der Dämmerung eines Sonntagabends sitzt, von einer Meute geliebter Hunde umsprungen wurde und mit Pferdefuhrwerken bis an die tschechische Grenze hinaufgezogen ist, die Wagen zum Brechen beladen mit Fässern; Zeiten, in denen ein Strohmayr die Landgasthöfe im weiten Umkreis beliefert hat und in guten Jahren fünfzigtausend Liter Most allein vom eigenen Baumbestand erpressen konnte ...

Es waren arme Zeiten. Auf den Höfen plagte sich viel Gesinde, in den Wirtshäusern fehlte den Taglöhnern und Arbeitslosen vor dem Krieg – und den Krüppeln und Heimkehrern nach dem Krieg – das Geld für Wein und Bier. Als die vielen Knechte und Mägde, die größte Schar der Mosttrinker, mit dem Triumph der Maschinen ebenso verschwanden wie die größte Armut und das Elend, verschwanden mit ihnen auch die Bäume, mußten neuen Straßen weichen, standen den Mähdreschern, den Traktoren und Heuwendern im Wege, den Flurbereinigungen und der Erhöhung der Wirtschaftlichkeit der Felder, standen schließlich der Zeit selbst im Wege und wurden gefällt. »Am Martinstag 1882 bin ich geboren«, flüstert der Hundertsechsjährige, »am elften November und habe gelitten im Krieg. Ich war etwas«, flüstert der Hundertsechsjährige, und seine Tochter spricht es ihm nach, »ich war etwas. Jetzt bin ich nichts mehr.«

Eine Million Apfel- und Birnbäume blühten im Mostviertel noch im Jahr 1938, als das Viertel gemeinsam mit dem ganzen Land unter Blechmusik und Hakenkreuzfahnen seinem Heil entgegenzog und in einem tausendjährigen Reich verschwand. Als man dreißig Jahre und einen Weltkrieg später wieder Zeit zum Bäumezählen fand, standen von dieser Million noch eine halbe. Seither zählte man hierzulande die Bäume nicht mehr. Der Konditor Karl Piaty hatte im Mai so vieler Jahre ihre Blütenwolken fotografiert und am Vergleich seiner Bilder gesehen, wie diese Wolkenfronten entlang der Felder lichter wurden und sich über manchen *Anbauflächen* ganz verzogen. Mit diesen Lichtbildern hatte der Konditor den Lauf der Zeit in siebenhundertzweiundvierzig Vorträgen in Pfarr- und Gemeindesälen und einmal sogar im Auditorium Maximum der Wiener Universität sichtbar gemacht. Aber schließlich mußte sich auch dieser begeisterte Chronist eingestehen, daß der Schwund der Welt mit beschwörenden Reden und Diapositiven nicht aufzuhalten war. Also begann er, die Dinge nicht bloß zu betrachten und abzulichten, sondern sie herauszunehmen aus der Zeit, rettete mit wachsender Leidenschaft aus Abbruchhöfen, Speichern und Scheunen, was vom Fortschritt bedroht war, von fliegenden Altwarenhändlern, dem Moder oder dem Feuer der Kachelöfen und Herde.

Mehr als zweitausend Utensilien einer untergehenden Bauernwelt bewahrte der Konditor im Verlauf zweier Jahrzehnte für die Zukunft, katalogisierte jedes Stück, setzte zur bloßen Erinnerung wieder instand, was zerbrochen oder zerfressen war, und bot der Kundschaft seiner Konditorei schließlich in neun Dachkammern seines Hauses ein gerettetes Universum zur freien Besichtigung: Scheuklappen, Weihprügel und Selchhaken; Dreschflegel, Distelstecher und Gewürzkästchen für zahnende Kleinkinder; Taufkleidchen, Hirnbügel für Jungstiere, das Anzeigefähnchen für einen gehörlosen Orgeltreter, die Niederschriften von sechshundert Totenliedern und Gebeten zur Bewahrung der Unschuld – und schließlich eine ganze Bergbauernstube, die der Bauer vom Schobersberg bei Waidhofen schon zu Brennholz hatte zerschlagen wollen, als seine Keusche geschleift und durch einen Neubau aus Hohlziegeln ersetzt wurde. Karl Piaty ließ die Stube damals von einem in die alte Holzbauweise vernarrten Baumeister zerlegen und unter seinem Dach wieder zusammensetzen.

Solange er noch bei Kräften war und Kundschaft und Hausgäste selbst durch seine Sammlungen führte, pflegte der Konditor den Besuchern stets mehrere geschichtliche Ereignisse zum Vergleich vorzuhalten, um ihnen das Alter dieses dämmrigen Raumes deutlich zu machen: etwa daß, zwei Jahre nachdem ein längst vergessener Zimmermann den mächtigen Deckenbalken der Stube mit Stierblut gegen das Ungeziefer bestrichen und dann das Baujahr 1614 ins Holz geschnitten hatte, William Shakespeare starb und Galileo Galilei mit einer Abhandlung über das Wesen der Kometen einen langen Streit um das wahre Weltbild gegen die katholische Kirche eröffnete; daß vier Jahre nach diesem Werk des Zimmermanns der Dreißigjährige Krieg ausbrach und noch mehr als einhundertvierzig Jahre vergehen mußten, bis die Gerichte unter Kaiserin Maria Theresia endlich auf die Folter verzichteten …

Still und kaum besucht liegt an der nördlichen Grenze des Mostviertels ein anderer Ort der Erinnerung hoch über den Auen der Donau: das von Pfingstrosen und wildem Wein umwachsene Pfarrhaus von Sindelburg. Vom Friedhof, einem blühenden Niemandsland, das zwischen diesem weitläufigen alten Haus und der Gegenwart zu liegen scheint, sieht ein Besucher Sindelburgs an diesem Augusttag bis zu den schwefelgelben Giftwolken über den Industriezonen von Linz, während im kühlen Innern des Pfarrhofes ein Abschied vorbereitet wird. So selbstverständlich geht es zu, wenn Menschen ihre Wohnungen verlassen, um Nachfolgern Platz zu machen und sich dabei von Dingen ihres Lebens trennen, die sich nun in bloße Erinnerungsstücke zu verwandeln beginnen, Material künftiger Sammlungen. Aus den geöffneten Fenstern des Pfarrhofes dringt an diesem Tag ein Klirren, ein Auf- und Zuklappen von Truhen und Kisten und das Rascheln von Packpapier in den Garten hinaus: Die Haushälterin packt.

Siebenunddreißig gemeinsame Jahre haben der hochwürdige Pfarrer Franz Herzog und seine Haushälterin Maria Hundsnurscher in dieser Residenz verbracht und müssen nun auch gemeinsam fort, ins Ausgedinge wie die Bauern, in eine Neubauwohnung, und einem unbekannten Nachfolger den wuchernden Garten, die vielen Zimmer und geordnete Verhältnisse hinterlassen. Wie die Jahre verflogen sind. Eben noch rauschte das verheerende Hochwasser von 1954 um die Gehöfte und mußte der Pfarrer aus Leibeskräften mit einer Zille zu den Gläubigen rudern, die nach seinem Beistand verlangten – und nun verbringt er seine letzten Amtstage in diesem blühenden Garten, ein alter Mann, der schon für den kurzen Weg zur Garage manchmal eine Stunde braucht, weil ihn das Asthma quält und die Atemnot zum Innehalten zwingt. Dann rastet er stets unter dem gleichen Baum, unter dem schon seit Jahren, auch im Schnee, ein Stuhl für ihn bereitsteht. Seelsorgepflichten, die er früher mit Begeisterung erfüllt hat, Kindstaufen, Trauungen, Beerdigungen, machen ihm nun Angst, weil sie ihm den Atem nehmen und das Herz zum Rasen bringen. Allein für den Gottesdienst am Altar und die Sonntagspredigt reicht dieser Atem noch; das aber ist für einen Landpfarrer nicht genug. Also hat er beim Bischof um seine Entlassung angesucht und muß nun fort und seine Haushälterin mit ihm.

Wie der Konditor aus Waidhofen an der Ybbs hat auch die Haushälterin Maria Hundsnurscher aus Tischen im Böhmerwald im Verlauf der acht Jahrzehnte ihres Lebens bewahrt, was ihr an der Welt erhaltenswert schien, und hat schließlich das Erdgeschoß des Pfarrhofes mit ihren Erinnerungen möbliert, darunter nicht nur Mostviertler Truhen, Steinkrüge und die Goldhauben einer Tracht, sondern auch das Spielzeug, das ihr ein Onkel noch in der böhmischen Heimat geschnitzt hat, einen Jagdstock des Kaisers Franz Joseph und acht wunderbare Pendeluhren ... Aber anders als der leidenschaftliche Sammler läßt Maria Hundsnurscher nun wieder von ihren Schätzen und nimmt keine einzige Spanschachtel davon ins Ausgedinge mit, weil der Mensch sein Herz nicht an irdische Dinge hängen soll. Die Haushälterin will allein das Recht behalten, manchmal wiederkommen zu dürfen, nicht anders als ein unangemeldeter Besucher, den sie an diesem Augusttag durch den Pfarrhof führt.

Wie behende sie nun an den acht Pendeluhren vorübergeht und mit einer flüchtigen Bewegung ihrer Hand die Pendel in Schwingung versetzt. Sie lauscht dem wirren Takt der Uhren, dem Klang der Zeit, nur kurz. Dann nickt sie dem Besucher zu, huscht ein zweites Mal an den Gehäusen vorüber und hält Pendel um Pendel an.

Die Zeit ist zwar auch über den Hügeln des Mostviertels nicht zum Stillstand gekommen, auf manchen hochliegenden Gehöften scheint sie aber zumindest langsamer geworden zu sein, wie eine Wetterfront, die sich vor Bergzügen staut und schließlich doch träge über sie hinwegzieht. Dort oben, am Ende eines gewundenen Güterweges, der zu einem Pireith genannten Höhenrücken führt, liegt der Hof der Kleinbauern Hermine und Ferdinand Huber, ein fichtenhölzerner Blockbau aus dem siebzehnten Jahrhundert. Im Stall stehen drei Kühe; fünf Kälber weiden den Sommer über auf einer höher gelegenen Alm. In diesem weiß gekalkten Blockhaus kocht die Bäuerin wie vor Jahrhunderten auf einem offenen Feuertisch und mit Tongeschirr und eisernen Kesseln, weil ein Emailtopf den Flammen dieses Lehmziegelherdes nicht lange standhalten würde. Zentimeterdick klebt an den Deckenbalken Ruß und schwarzes Pech; die Küchentür muß auch an den kältesten Wintertagen offenstehen, damit der Rauch über die Köpfe hinweg abziehen kann. Noch im Windfang der Hoftür riecht es wie im Inneren eines Kamins.

Daß ein Fotograf des Fremdenverkehrsvereins diese *Schwarze Kuchl* aufgenommen hat und auch der Konditor aus Waidhofen schon vor Jahrzehnten mit seiner Kamera dagewesen ist, hat das Leben auf dem Hof kaum berührt. Nur die Legehennen, die noch vor kurzem in einer geräumigen, holzvergitterten Nische des Herdes ein enges Leben in der Wärme führten, sind mittlerweile verschwunden. Die neuen Zuchthennen vom Weistracher Viehmarkt ertrugen das Prasseln des Feuers über ihren Köpfen nicht so gleichmütig wie das alte Geflügel und wurden verrückt und fielen mit Krallen und Schnäbeln übereinander her, bis sie blutend und zu Tode erschöpft in ihrer Nische lagen und der Lehmboden vor dem Herd wie beschneit war von ihren Federn.

Eiserne Dreifüße für Kessel und Pfannen, wie sie in Pireith immer noch über das Feuer gestellt werden, sind auch in den Dörfern des Mostviertels wie so viele andere Gebrauchsgegenstände und Werkzeuge im Abfall verschwunden oder liegen in volkskundlichen Sammlungen zur bloßen Erinnerung bereit, für immer von ihren Zwecken getrennt, beschriftet und katalogisiert. Mit vielen dieser Werkzeuge wissen nun nur noch Achtzig- und Neunzigjährige umzugehen, Greise wie der Rechenmacher Engelbert Haider aus Ertl, der Korbflechter Jakob Wenger oder der Hammerschmied Josef Brandecker, der nicht nur Werkzeuge schmieden, sondern ganze Maschinen, Holzgasmotoren und Dampfturbinen zeichnen und bauen konnte. Noch sitzen diese Alten im Ausgedinge; ihre Werkstätten liegen schon unter Staub.

Wer braucht jetzt noch zu wissen, was der Korbflechter Jakob Wenger weiß: an welchen Wintertagen Eschen gefällt werden müssen, um aus ihnen das biegsamste Flechtholz zu gewinnen, wie viele Monate das astreine Holz trocknen muß und dann wie viele Tage und Nächte im Weichwasser liegen. Bei welcher Temperatur? Und wie schlägt man das Weißholz von den Jahresringen?

Wer braucht jetzt noch zu wissen, was der Rechenmacher Engelbert Haider weiß: daß der Stiel guter Heurechen immer aus Lindenholz war, aus Ahorn das Querholz und die Zähnung aus Esche.

Dem Korbflechter Wenger ist im letzten Krieg das Trommelfell geplatzt, und jetzt, im Alter, selbst in der Abgeschiedenheit seines hochgelegenen Gehöftes, stellt er das Hörgerät freiwillig leiser und leiser, weil der *Weltlärm* ihm manchmal unerträglich wird.

Der Rechenmacher Haider hat sein Leben im Tal verbracht und hält seine Werkstatt, in der er auch hölzerne Brunnenröhren und Wasserräder für die Mühlen gezimmert hat, immer noch wie in alten Zeiten in blanker Ordnung. Noch jetzt, sagt er, wäre er imstande, in der schwärzesten Nacht ohne Lampe jeden Hobel, jede Raspel und noch das kleinste Hohleisen an seinem Platz zu finden. Aber niemand verlangt ihm diese Sicherheit im Umgang mit seinem Werkzeug mehr ab, und in der Nacht schreckt er oft aus dem Schlaf, wenn die Jungen mit ihren Autos auf der neuen Straße dicht an seinem Haus vorbeirasen und ein Lichtfleck über seine Wand huscht und Rollsplitt gegen sein Fenster prasselt wie Hagel.

Der Hammerschmied Josef Brandecker hat sich seine Liebe zum Mechanischen, zu Motoren und aller Technik bis ins hohe Alter bewahrt. Er sitzt an einem Hochsommertag hinter verhängten Fenstern in der Stube des großen Hofes, den er längst an die Nachkommen übergeben hat, und verfolgt auf dem Fernsehschirm seine Videoaufzeichnung des letzten Kameradschaftsbundtreffens; Station für Station, von Sankt Peter in der Au bis nach Südtirol und wieder zurück. Der Hammerschmied hat stets Schritt gehalten mit der Zeit: In den dreißiger Jahren fuhr er zu den Erntewochen mit einer von Ochsen gezogenen Dampfdreschmaschine über die Dörfer und bot den Bauern die Hilfe der Technik an, brachte später als einer der ersten Autofahrer des Urltales Kirchgänger und Marktverkäufer im offenen Lastwagen zum Hochamt, zum Markt und wieder zurück auf die Höfe, errichtete am Urlbach ein kleines Wasserkraftwerk, das Haus und Werkstatt mit Strom versorgte, nahm immer neue Maschinen, schließlich sogar Mähdrescher in den Dienst und war zufrieden, wenn das Leben über dem runden Lauf der Francisturbinen und Dieselmotoren allmählich leichter wurde.

Der ausgediente Holzgastraktor, mit dem er seine Felder pflügte, steht immer noch fahrbereit in der Scheune, und wenn die Url genug Wasser führt, rauschen auch die Turbinen im Kraftwerkshäuschen am Ufer wieder wie an jenem Festabend, an dem Brandeckers Hof zum erstenmal allein von der Wasserkraft erleuchtet in der Dunkelheit lag. Mit der alten Dampfdreschmaschine aber fährt der Hammerschmied immer noch über die Dörfer – zu den Volksfesten bis weit über das Mostviertel hinaus, dort heizt er vor amüsiertem Publikum den Kessel, spannt den breiten Lederriemen um das Antriebsrad, öffnet die Drosselklappen und läßt die Maschine leer laufen. Dazu spielt er dann auf der Knopfharmonika eine Polka, während seine Videokamera auf einem Stativ vor ihm steht, ihn anstarrt und ihm die Erinnerung unvergeßlich macht.

Auch wenn das Mostviertel auf die Arbeit der meisten Handwerker ebenso verzichten konnte wie der Rest der technisierten Welt, haben Nostalgie und Fremdenverkehr doch einige Werkstätten offen gehalten, Reservate wie in

Aschbach die Faßbinderei des Meisters Johann Scheuch, der selbst mit zwei Gesellen und vier Lehrlingen Mühe hat, den vielen Bestellungen von Souvenirfäßchen und Schmuckzubern nachzukommen. Und weil Johann Scheuch als einziger von den großen Faßbindern des Mostviertels übriggeblieben ist, stehen nun vor seiner Werkstatt auch wieder zwölf und fünfzehn Meter hohe Rundtürme aus Eichenbohlen; so kunstvoll geschichtet muß das grob zugeschnittene Holz ein Jahr und länger an der Luft dörren, bis es über dem Feuer zu Faßdauben gebogen wird. Die Türme sehen nicht anders aus als auf den vergilbten Fotos, die Johann Scheuch in seinem Familienalbum verwahrt.

Die vor allem in Städten gepflegte Sehnsucht nach der schönen Schlichtheit und Natürlichkeit einer untergegangenen Bauernwelt hat mittlerweile auch manche Zweige der Mostwirtschaft wieder belebt: Hatten die Agraringenieure der landwirtschaftlichen Genossenschaften noch vor kaum einem Jahrzehnt für jeden gefällten Mostobstbaum eine Belohnung bezahlt, um den Maschinen eine freiere Fahrt über die Felder zu ermöglichen, werden nun – nachdem baumlose Wiesen versumpft sind, das von allen Wurzeln gesäuberte Erdreich der Hänge abgerutscht und das Land kahler und kahler geworden ist – wieder Prämien für die Anpflanzung neuer Baumzeilen ausgeschüttet. Aber die hochstämmigen Birnbäume brauchen zwanzig, manche Sorten dreißig Jahre, bis sie zum erstenmal Früchte tragen.

Natürlich sind es nun nicht mehr die großen Mosthändler von einst, die das gestiegene Bedürfnis nach mehr *Natürlichkeit* befriedigen; Fruchtsäfte, Nektar und Most werden heute in sterilen Plastikpacks von langlebigeren Unternehmen, wie etwa dem Raiffeisenkonzern geliefert, der den verschuldeten Landwirten mit einer vollautomatischen *Ybbstaler Obstverwertung* in Kröllendorf einmal mehr ein rentables Beispiel gab. An den Rampen solcher Fabriken stehen während der Obstkampagne im Oktober und November die Lastwagen und Traktoren der Bauern in langen Kolonnen und werden von vier Uhr morgens bis spät in die Nacht noch unter Scheinwerferkegeln und in solchen Mengen entladen, daß der Betriebsleiter von Kröllendorf zuletzt beinah unter einer Lawine von Mostbirnen umgekommen wäre.

Die Bauern haben das Raiffeisenbeispiel verstanden, behalten zumeist nur noch einen kleinen Teil ihres Obstes zum Pressen des *Haustrunkes* für sich und liefern den Großteil der Ernte zu *vernünftigen* Bedingungen ab oder lassen die Äpfel und Birnen in besonders ertragreichen Jahren auf den Wiesen verfaulen, weil der Preisverfall die mühselige Arbeit des Aufsammelns sinnlos macht.

Von den alten Mosthändlern konnte sich nur ein einziger gegen alle Prognosen und Konkurrenz behaupten: Alois Leitners Mostkellerei, ein von Geranien geschmückter Hof bei Sankt Peter in der Au, setzte sich in der Geschäftswelt als *Urltaler Obstverwertung* durch und wurde zum Stammsitz der größten Privatmosterei Österreichs. Für einen solchen Aufstieg bedurfte es nicht nur der Spezialisierung und Mechanisierung, sondern auch äußerster Sparsamkeit: Noch als Seniorchef durchstreift Alois Leitner das Betriebsgelände im Urltal, spürt in Lagerräumen unnütz brennende Glühbirnen auf, dreht tropfende Wasserhähne zu oder löst in geparkten Lieferwagen die Handbremse, weil zur Sicherung eines Wagens der eingelegte Gang genügt und Bremstrommeln und -beläge geschont und dauerhaft erhalten werden müssen.

Sechzigtausend Liter Most faßt der größte von den Tanks aus Glasfiber und Polyvinylchlorid, die als kalte

Türme in Alois Leitners fensterloser Lagerhalle stehen. Mit solchen Dimensionen hätte der Faßbindermeister Johann Scheuch aus Aschbach auch in Eiche noch mitzuhalten vermocht: Das größte Faß, das Johann Scheuch jemals in Arbeit hatte, war tausend Eimer oder sechsundfünfzigtausend Liter groß. Allein die Planung dieses ungeheuren Werkes beschäftigte den Meister damals über Wochen. In den Nächten lag er oft wach und träumte, wenn er endlich einschlief, daß dem Faß der Boden ausschlug und eine schwarze Sturzwelle in den Keller sprang.

Johann Scheuch, geborener Johann Braumüller aus Hollenthon in der *Buckligen Welt*, war in seinem Handwerk schon als Geselle ein Mann von solchen Fähigkeiten, daß ihn der kinderlose Innungsmeister, vor dem er alle Prüfungen mit Auszeichnung abgelegt hatte, an Sohnes Statt annahm und ihm einen neuen Namen, ein Haus und die große Faßbinderei in Aschbach schenkte. Der Abschied von der Buckligen Welt, einem Hügelland hundertfünfzig Kilometer südöstlich des Mostviertels und jenseits des Alpenhauptkammes, war dem Beschenkten damals unendlich schwergefallen. Scheuch, der noch heute alljährlich mit seiner Frau und mit seinen Gesellen eine dreitägige Fußwallfahrt über hundert Kilometer, durch die Ötschergräben bis nach Mariazell, auf sich nimmt, war erst nach jahrelangem Zögern und Grübeln endlich überzeugt, daß es der Wille des Allmächtigen war, wenn ein Braumüller aus der Heimat nach Aschbach fortging und dort einen fremden Namen und ein fremdes Erbe übernahm. Scheuch hatte damals seine blaue Arbeitsjacke auf den Hollenthoner Boden hingebreitet und ein geweihtes Medaillon daraufgeworfen. *Kopf oder Zahl*, und erst dieses Gottesurteil sagte: Geh.

Also ging der Faßbinder mit seiner Frau ins Mostviertel,

in die Fremde, und wurde hier im ersten Jahr nach dem Tod des Innungsmeisters von einem verzehrenden Heimweh ergriffen, das ihm den Hals zuschnürte und ihn keinen Bissen mehr essen und dann auch nichts mehr trinken ließ. Er hatte sein Testament schon gemacht und war dem Tod nahe, als man ihn ins Spital brachte. Entschlossen, seine Bestimmung bis ans Ende zu erfüllen, genas der Faßbinder aber vom schlimmsten Heimweh – und blieb in Aschbach.

Hinter Scheuchs Werkstatt liegt ein riesiges leeres Faß in der Wiese, dessen Dauben von Weinsteinablagerungen aus achtzig Jahren verkrustet sind und das nun als Gartenhaus dient. Im Sommer bewirtet der Faßbinder dort seine Gäste oder verbringt die Abende über Fotoalben und prüft seine Möglichkeiten. Vielleicht wird er sein Heimweh noch einmal überwinden, eine Reise machen, endlich ans Meer: vielleicht wird er es aber auch dem Innungsmeister gleichtun und die Werkstatt seinem besten Gesellen übergeben, damit das Handwerk im Land bleibt ...

Wenn Scheuch in seinem Faß über der Zukunft sitzt, droht in seinem Rücken stets ein Bild aus der Vergangenheit, ein an die Krusten des Weinsteins gelehntes Messingrelief, das ihm ein Sommergast zum Dank für einen schönen Abend überreichte und das der Faßbinder zuerst aus Höflichkeit, dann aber im Glauben behielt, daß dieses Bild doch nur den vielen Darstellungen der Versuchung und des Teufels glich, die in heiligen Schriften und in Kirchen an die Allgegenwart der Hölle erinnern. Das Messingrelief in Scheuchs Faß zeigt aber nicht den Leibhaftigen, sondern den Kopf Adolf Hitlers.

Die vielen Hakenkreuze, Eichenlaubkränze und Hitlergesichter, die das Mostviertel wie das ganze Land ein tausendjähriges Reich lang schmückten, haben in den heimatkundlichen Sammlungen unter dem Dach des Konditors Karl Piaty oder in den Schauräumen des Ödhofs keinen Platz gefunden. In der *Heimat* war es immer schön: es wurden dort Brautbäume und Maibäume errichtet, aber keine Galgen. Und auf den Höfen wurden Senkgruben und Mostkeller ausgehoben, aber keine Massengräber.

Die Erinnerung, daß die schöne Heimat in schweren Zeiten von Helden verteidigt werden mußte, wurde im Mostviertel nicht anders bewahrt als im ganzen Land – in Goldschrift auf Kriegerdenkmälern im Schatten der Pfarrkirchen. In den Donauauen bei Ardagger wurde diesem Andenken eine ganze Welleternithalle eingeräumt, die von den Fremdenverkehrsprospekten als *Wehrmachtsmuseum* in der Liste lohnender Ausflugsziele geführt wird. Auf eintausend Quadratmeter Ausstellungsfläche ist dort von den Kragenspiegeln der SS bis zur Gasmaske und Panzerfaust alles zu sehen, was im Kampf um die Heimat Verwendung fand, *im großen Sterben, das über unser Volk kam:* Das Programmheft des Museums gibt auch das Erziehungsziel preis, das unter den Pappeln des Auwaldes von Ardagger verfolgt wird – *Tote Helden mahnen: Seid treu und stark, wie wir es waren ...*

Von den Marmorbalustraden der Wallfahrtskirche auf dem Sonntagsberg, dem weithin sichtbaren *Wahrzeichen* des Mostviertels, sieht man an klaren Tagen weit über die Grenze dieses Landstriches hinaus, die Donau stromaufwärts bis nach Mauthausen, dessen Schatten die Heimat nie berührte: Mauthausen lag schon immer jenseits der Mostviertler Zuständigkeit, jenseits des Zusammenflusses von Enns und Donau – in Oberösterreich. Gewiß, der Name des Bauern Haberfellner ist noch nicht vergessen, der wegen einer Schwarzschlachtung im Konzentrationslager von Mauthausen verschwand. Aber wer verschwand dort sonst noch?

In Wolfsbach hat eine alte Frau, die ihren Namen in keiner Zeitung lesen will, noch den schrecklichen Geruch in der Nase, der bei Wind aus Nordwest von den Schloten Mauthausens nicht anders ins Land geweht kam als jetzt der Gestank der Chemiewerke von Linz.

Was dort brannte?

Die Wolfsbacherin erinnert sich an eine Häftlingskolonne aus Mauthausen, die durch das Dorf kam. Es waren vierzehn, vierzehn aus dieser Kolonne, die hier auf der Straße erschöpft zusammenbrachen und nicht mehr weiterkonnten. Sie wurden geschlagen. Aber sie konnten nicht mehr. Einer der Aufseher schrie und fluchte und hörte nicht auf zu schreien, als er einem Erschöpften die Pistole ansetzte und ihn in den Kopf schoß. Alle vierzehn wurden mit Kopfschüssen umgebracht. Sie lagen so mager im Straßengraben, bis ein paar Mitleidige sie endlich begruben, obwohl viele Wolfsbacher diese Leichen nicht auf ihrem Friedhof haben wollten. Das Massengrab der vierzehn Namenlosen ist dort mittlerweile unter einem hochgewachsenen Dickicht aus Thujen und Wacholder beinah verschwunden; unlesbar der Gedenkstein inmitten der Zweige. *Geliebt, beweint und unvergeßlich*: Die schöne Steinmetzinschrift gilt nur für die Toten im Nachbargrab, die im Schatten des Dickichts ihre Auferstehung erwarten. Sie habe, sagt die Altbauerin Maria Grubhofer aus Wegleiten bei Oed, sie habe die Gegend von Mauthausen in der *fraglichen Zeit* sehr gemieden, weil sie überzeugt war, dort etwas zu sehen, was sie ihr Leben lang nicht würde vergessen können. Und wer, sagt Maria Grubhofer, wollte schon mit unauslöschlichen Bildern im Kopf leben?

Am Anfang vom Ende, es war im Januar des Jahres 1938,

flackerte über den Alpen ein ungeheures, rubinrotes Nordlicht bis spät in die Nacht. Die Feuerwehren des Mostviertels rasten damals stundenlang ziellos über die Dörfer und suchten den Brand; ihr vergeblicher Einsatz steht in der Gemeindechronik von Strengberg vermerkt. Als Österreich sich zwei Monate nach dieser Himmelserscheinung zum Hakenkreuz bekannte, war auch die Heimatstadt des Konditors Praty festlich beflaggt; das Kreuz an allen Häusern. Ein Freund des Konditors, der Maler Reinhold Klaus, verwandelte sich in diesem Jahr vom Heimatliebhaber in einen Professor für Deutsches Brauchtum an der Kunstgewerbeschule in Wien und malte Waidhofen im Fahnenschmuck und ganz so, wie der Führer seine Städte gern sah. Das Werk hängt immer noch groß und prächtig im Waidhofener Rathaus; nur die Hakenkreuze wurden, wie so vieles in der Nachkriegsheimat, rot-weiß-rot übermalt und mußten seither von einem Restaurator mehrmals abgedeckt werden, weil sie im Lauf der Zeit trotz des kräftigen Auftrags der Nationalfarben wieder und wieder durchschlugen.

Um die wallenden Nordlichtschleier des Anschlußjahres abzubilden, waren die Filme Karl Piatys noch nicht lichtempfindlich genug und Hakenkreuze für einen Fotografen der Heimat kein lohnendes Motiv. So haben selbst die achttausendsechshundert Lichtbilder. die der Konditor von seiner Welt gemacht hat, nicht ausgereicht, um ihre wahre Größe zu zeigen. Karl Piaty hat nun aufgehört zu fotografieren und auch aufgehört zu sammeln, hat seine Ordner beschriftet und abgeschlossen und seine Bestände zuletzt nur noch betrachtet, ohne den Wunsch, sie zu erweitern. Nach zwei Herzanfällen, der Entfernung einer Niere, schmerzhaften Folgeoperationen und Monaten im Spital der Barmherzigen Schwestern ist der Konditor so gebrechlich geworden, daß ihm selbst die Stiege hinauf zu seinen Dachkammern ein unüberwindliches Hindernis ist. Nun liegt er ein Stockwerk unter seinen Sammlungen im Krankenbett, hat Mühe, sich an einem über ihm aufgehängten Trapez hochzuziehen, und redet oft wirr.

Natürlich wird die Heimat nicht verschwinden, nur weil einer ihrer Chronisten aufgehört hat, sie abzubilden und Stück für Stück zu bewahren. In der Schindau bei Hausmening hat Franz Jetzinger, ein Bauer, von dem Karl Piaty nichts weiß, eintausend Birnbäumchen um seinen Vierkanter gepflanzt und hat an seinem milden, goldklaren Most eine solche Freude, daß er im Keller oft stundenlang allein an den Fässern arbeitet, dem Geplauder der Gärung zuhört und zwischendurch laut singt... Und daß anderswo, in Oed beispielsweise, selbst so große Höfe wie das Edlagut in sich zusammensinken und verfallen, daß kinderlose Bauern wie der Leopold Edlinger aus Wegleiten die Landwirtschaft aufgeben und den Hof verlassen, hat die Heimat noch zu allen Zeiten verschmerzen müssen.

Vor den leeren Ställen wachsen jetzt Föhren und vorm Scheunentor blüht wilder Flachs; auf seinen Feldern aber wird gearbeitet wie je: Der Nachbar hat Edlingers Boden gepachtet und fährt nun über sechzig Hektar Anbaufläche mit seinen drei Traktoren, mit staubdichten Mähdreschern, Kultivatoren, hydraulischen Wendepflügen und Krümelwalzen in die Zukunft. Auf dem Nachbarhof konnte selbst die Kinderlosigkeit die Landwirtschaft nicht zum Stillstand bringen: Wie der Aschbacher Innungsmeister seinen Nachfolger aus der Buckligen Welt, adoptierten die Altbauern auf diesem Hof nach vergeblichem Beten um eine fruchtbare Erde den Sohn des Großknechtes und übergaben ihm den Besitz. Dieser Sohn hat nun als Bauer

Johann Grubhofer eine arbeitsame Frau, zwei Söhne und zwei Töchter, hat sechzig Maststiere und dreißig Kühe im Stall, fünfundzwanzig Kälber und zweihundertfünfzig Schweine, pflegt die Bräuche mit Reisigkränzen, Maibäumen und Knallgasböllern, preßt jährlich mehr als dreitausend Liter Most und ist ein geachteter Mann.

Wenn auf diesem großen Hof am Abend alles Vieh gefüttert ist, die Melkmaschinen abgestellt sind und es still wird, muß als letzte Arbeit der langen Tagesordnung die Schließung der vielen Türen und Tore als immergleiches Ritual vollzogen werden: Der erste Sohn trägt die Verantwortung für die Garagen, der zweite für die Werkstatt, die Altbäuerin hat die Futterküche und den Saustall zu verriegeln und die Hausfrau die Rinderhalle; ist das getan, verschließt der Bauer die Haustür zum Garten und das Tor zum Hof. Dann beginnt die Nacht.

(1989)

Die ersten Jahre der Ewigkeit

Der Totengräber von Hallstatt

Wie langsam der Totengräber den Steilhang durchsteigt. Bedächtig und rhythmisch, den Blick unverwandt auf den Weg gerichtet, stemmt er sein Körpergewicht hoch, das, kaum oben, schon in den nächsten Schritt fällt. Leicht vornübergebeugt, schweigend und stetig – so geht man ins Gebirge. Über seine Schultern, über den schwarzen Kammgarnmantel rinnt das Regenwasser in wirren Adern. Der Winter ist vorüber. Aber auf den Nordhängen oberhalb der Baumgrenze liegt der Schnee immer noch tief.

Am Rand einer jäh abfallenden Lichtung des Mischwaldes dreht sich der Totengräber nach mir um, weist auf Schroffen und Bergkämme und zählt ihre Namen auf. Wie abblätternder Kalk gleiten Nebelfetzen die Steinhalden hinab. Tief unter uns, im besänftigenden Rauschen des Regens, liegt der südlichste und kälteste See des oberösterreichischen Salzkammergutes und an seinem Ufer, klein und verschwindend, Hallstatt; die Salzgrubenstadt.

Als ob man eine Spielzeugschachtel über den Abhängen entleert hätte, liegen dort unten die Häuser gehäuft und übereinander: Nur einige zierliche Dächer haben sich in den bewaldeten Rinnen verkeilt, das meiste aber ist bis ans Ufer gekollert. Das Tal, das sich im Süden der Ortschaft öffnet und weit in dieses Gebirge hineinzuführen scheint, wird hinter den letzten Häusern enger und schließlich zum klaffenden Riß, der zwischen lotrechten Felswänden endet. Kein Durchgang. Übermächtig steigen die Berge aus dem Wasser. Kein Platz. Nirgendwo ebene, ruhige Flächen.

»Die Kirche der Evangelischen.« Der Totengräber zeigt in die Tiefe. Wir sind stehengeblieben. *Seine* Kirche, die katholische mit dem Friedhof, läge zu dicht am Hang, um von hier oben sichtbar zu sein. Der Friedhof sei der schönste Flecken Hallstatts; so geschützt unter den Felsen des Salzberges und schön über den Dächern und dem See. Wir wenden uns wieder dem Steig zu.

Der Friedhof. In Hallstatt, wo schon der Platz für die Lebenden so knapp ist, bleibt den Toten nur eine gemauerte Terrasse, ein steinernes, mit Lehmerde gefülltes Nest im Schatten der katholischen Pfarrkirche. Von dort kommen wir her. Seit einer Stunde sind wir am Gehen. Dort unten, zwischen den Gräbern, eingezäunt von schmiedeeisernen und hölzernen Kreuzen, steht auch Friedrich Valentin Idams Haus. Das Haus des Totengräbers; Idam wohnt auf dem Friedhof wie in einem hängenden Garten. Kreuze und Gräber vor seinen Küchenfenstern. Kreuze vor den Fenstern seiner Werkstatt, und nur wenige Schritte von seiner Haustür entfernt der vergitterte Torbogen eines Tonnengewölbes, in dem gesäubert und gestapelt ungezählte Schienbeine, Hüft- und Armknochen und eintausenddreihundert Totenschädel liegen – der Karner. Das Beinhaus. Seit fast vierhundert Jahren ist es in Hallstatt Brauch, die für den Karner bestimmten Schädel zu bemalen: Eichenlaub und Efeu auf die Stirnen der Männer, Blütenzweige und Blumenkränze auf die Stirnen der Frauen – Enziankelche, Kuckuckslichtnelken und Trollblumen, wie sie oben, auf der Dammwiese des Salzbergtales, wachsen.

Und in solche Zierbeete sind in elfenbeinschwarzen gotischen Lettern die Namen der Toten zu setzen. Etwa: Wohledelgeborene Frau Maria Ramsauer, Bergmeisters Gattin alhier.

So kunstvoll ehrt man hier die Verstorbenen, denn vielleicht verfliegt über dieser zarten Malerei in Veroneser Grün, Kobaltblau, Zinnoberrot und Terra di Siena auch die Trauer der Seelen, daß man ihre sterbliche Hülle aus der Erde genommen hat. Kaum ein Tourist, hatte der Totengräber gesagt, als er das Gittertor vor mir aufschloß, lasse sich den Anblick dieser Schädelreihen entgehen, den verzierten Tod. 250 000 Touristen im Jahr; dabei habe Hallstatt kaum dreizehnhundert Einwohner. Manche Blumenkränze seien schon ganz blaß von den vielen Blitzlichtern.

Am Hallstätter See dauert die ewige Ruhe zehn Jahre, manchmal vierzehn, selten länger. Für die ganze Ewigkeit darf hier keiner unter der Erde bleiben. Dafür ist der Kirchhof zu klein. Und so genügt es auch nicht, daß der Totengräber den Leichnam eines Bürgers von Hallstatt in die Erde bettet, damit zu Staub werde, was aus Staub gemacht ist, sondern er muß seine Anvertrauten nach dem Ablauf der festgesetzten Grabesruhe – nach zehn Jahren, und wenn die Leute eher *wegsterben* und Mangel an Ruhestätten herrscht, auch schon früher – wieder ans Licht holen, muß ihre Gebeine am Friedhofsbrunnen säubern und sie schließlich in den Karner schlichten. So wird Platz geschaffen für die Nachgeborenen. Und dann kommt es auch jetzt noch manchmal vor, daß die Angehörigen eines Umgebetteten den Totengräber bitten, den Schädel des geliebten Menschen zu bemalen.

Schräg oberhalb der Eingangstür des Totengräberhauses ist ein Brett ans Vordach genagelt. Dort liegt dann ein

Schädel wochenlang. In der Sonne. Im Mond. So lange, bis alle Schatten und Schrecken des Verfalls zu einem milden Elfenbein ausgebleicht sind. Dann stellt Idam den Schädel vor sich auf die Werkbank und malt mit einem Rotmarderhaarpinsel in Eisenoxid- und Erdfarben, die er mit Kasein und Löschkalk versetzt, die vorgeschriebenen Blumen und Schriftzeichen auf die Stirn.

Wie kalt es hier oben ist. Wir durchsteigen eine Klamm, die in Hallstatt Hölle heißt. Unter einem Holzsteg schießt ein Bach in die Tiefe. Der Totengräber bedeutet mir, voranzugehen. Auf einem solchen Weg redet man nicht viel. Geredet haben wir in der Tiefe dort unten genug. Wir saßen in der Küche des Totengräberhauses, ein langsamer Vormittag, und Idam erzählte von seiner Arbeit. Zehn, auch fünfzehn Gräber im Jahr, hatte er gesagt: Es gebe ja auch welche, die lieber im Krematorium von Salzburg verbrannt werden wollten, als sich von ihm begraben zu lassen – und die Bekenntnislosen. Acht Stunden etwa habe er an einem Grab mit Schaufel und Brecheisen zu arbeiten und bekomme zwei- bis dreitausend Schilling dafür; dazu jährlich siebzehn Festmeter Holz, das er im Hochwald schlagen dürfe, die Wohnung im Totengräberhaus umsonst und das Weiderecht für Ziegen und Schafe zwischen den Gräbern. Für Armengräber nehme er natürlich kein Geld. Auch nicht für die Bemalung der Schädel. Das sei eine Ehrenarbeit.

Während Idam erzählte, erschienen vor seinen Fenstern manchmal Friedhofsbesucher, entfernten geronnenes Wachs von den Grabeinfassungen, ordneten Blumen in den Steckvasen und standen dann einfach da. Ihre Lippenbewegungen waren wohl Gebete. Wir saßen am Küchenherd, tranken Tee aus Darjeeling, und aus einem Kassettenrecorder am Fensterbrett knackte und rauschte Schlagermusik. Friedrich Valentin Idam ist noch keine fünfundzwanzig Jahre alt.

Jung sei er, zu jung, hatten einige Hallstätter gemeint, als er sich um dieses mühselige Amt bewarb; damals war er neunzehn. Aber seit der alte Totengräber selber dahingegangen war und auch der Fischheindl, vulgo Heinrich Kirchschlager, der seinerzeit die Schädel verziert hatte, schon lange unter der Erde lag, hatte man es in der Salzgrubenstadt oft schwer gehabt mit den Bestattungen ... In dieser Not also will der junge Idam Totengräber werden. Also gut: Man weist ihm ein Grab zu, ein Probegrab, und läßt ihn allein. Das Alleinsein ist Vorschrift, wenn eine letzte Ruhestätte geöffnet wird. Auf dem Hallstätter Friedhof liegen unter jedem Kreuz zwei Leichname, die erst umgebettet werden müssen, bevor einem anderen die Erde wieder leicht werden kann. Idam beginnt zu graben, entschlossen und heftig am Anfang, dann immer zögernder, bis er auf den alten Sarg stößt. Jetzt muß er warten. Er hockt in der Grube, der Himmel über ihm ist nur noch ein Streifen und er zwischen den Erdwänden sehr allein. Dann öffnet er den Sarg mit einer Sapine. Die schlohweißen Haare und das Gesicht der Toten wird er nicht wieder vergessen. Es ist kein Ekel, was er empfindet, es ist ... er wird das Gefühl auch später nicht wirklich beschreiben können. Er zerschlägt die morsche Truhe, wirft die Trümmer zum Verbrennen aus der Grube, legt die Tote, bloß, wie sie ist, ein Stück tiefer und bedeckt sie mit einer dünnen Erdschicht – der Boden des frischen Grabes. Die Gebeine des zweiten, unter dem alten Sarg gelegenen Leichnams trägt er in den Karner. Es ist die immer gleiche Arbeit des Hallstätter Totengräbers. Sie ist ihm seither nicht leichter und nicht schwerer geworden.

Nach dieser Probe jedenfalls heißt der neue Totengräber Idam. *Der* Idam. Und mittlerweile gibt es in der Gemeinde keinen Zweifel mehr, daß er sich auf die Schädelmalerei wirklich versteht und daß die Gräber, die er aus dieser verbrauchten, gesättigten Erde schaufelt, gut sind und tief. Tief! So will man in Hallstatt begraben sein. Auch wenn es nicht für lange ist. Daß aber der Idam sich nicht nur um die Toten kümmert, finden die einen bemerkenswert, die anderen ungehörig: Daß er Bilder malt, Skulpturen schnitzt oder aus Bronze gießt und Bücher hat, ist recht und schön. Aber daß er auch Briefe an den Landeshauptmann schreibt, Versammlungen einberuft und öffentlich dagegen protestiert, daß zwischen den dunklen Holzhäusern mit Glas und Beton gebaut wird, kann doch nicht Sache des Totengräbers sein. Kaiser, König, Edelmann, Bürger, Bauer, Bettelmann, Leinenweber, Totengräber, heißt die Ordnung. Aber auch daran hat sich viel geändert.

Gewiß, hatte Idam auf unserem Weg hier herauf zu den Gräberfeldern der Hallstattzeit im Salzbergtal gesagt, gewiß, notwendig hätte er es nicht gehabt, hier als Totengräber zu gehen. Er hätte ebensogut zu Hause, in Braunau am Inn, die Tischlerei seines Vaters übernehmen können. In Braunau habe er die Mittelschule hinter sich gebracht und sei dann nach Hallstatt gegangen, um hier die Holzbildhauerei zu erlernen. Aber das Leben hier und die wunderbare, schroffe Landschaft um den See, alles hier sei ihm schließlich so vertraut geworden, daß er nicht wieder weggehen mochte. Nach dem Auslernen habe er eine Wohnung gesucht. Eine Arbeit. Ins Salzbergwerk habe er nicht gewollt. Das Totengräberhaus sei leergestanden. Der Posten vakant. So habe alles begonnen. Aber ja, ein bißchen verliebt ins Skurrile, ins Absonderliche, auch in die Vergangenheit sei er schon immer gewesen; und dazu noch die

Faszination des Todes. Aber es sei eine Sache, eine Arbeit bloß zu versuchen, und eine andere, sie auch fortzuführen. Seit er auf dem Friedhof lebe, habe er sich verändert und keine schwarzen Vorlieben mehr. Er verrichte seine Arbeit jetzt in dem Gefühl, den Menschen damit einen besonderen Dienst zu erweisen. Wer könne das von seiner Arbeit schon behaupten? Was sei schließlich hilfloser und ausgelieferter als ein Leichnam?

Das Totengräberhaus ist mit Skulpturen vollgestellt – Reliefs, Schweißarbeiten, Schnitzwerke. Ein großes Ölgemälde in Idams Werkstatt zeigt eine schmale, sitzende Frau. Ein schönes Bild. Sein gelungenstes vielleicht, hatte Idam gesagt. Was ist er also? Ein Maler? Ein Bildhauer mit Nebenbeschäftigung? Als ich zum erstenmal im Hallstätter Pfarrhof angerufen und nach dem *Bestatter* gefragt hatte, weil mir andere Namen noch zu grob erschienen waren, hatte eine Stimme im Innviertler Dialekt, den ich hier nicht wiedergeben kann, gesagt: »Ich bin am Apparat. Ich bin es selber. Der Totengräber.«

Vom See, der eben noch wie ein Fjord zwischen den Bergen lag, ist nichts mehr zu sehen. Wir haben das Salzbergtal erreicht; gemessen an der Steilheit des zurückliegenden Weges ein sanft ansteigendes Hochtal. Während des Sommers schleppt eine Standseilbahn die Touristen zu Tausenden hier herauf. Aber jetzt scheinen wir die einzigen im Gebirge zu sein. Die Bergstation, auch die Knappensiedlung am oberen Ende des Tales, wie ausgestorben. Alles ist, als ob es immer so gewesen wäre: menschenleer, still und halb in den Wolken. Sehr still. Von denen, die jetzt in den Stollen, im Inneren des Salzberges arbeiten, hören wir nichts und spüren wir nichts. Hunderte Meter unter Tag sprengen sie Kammern in den Fels, leiten Wasser in die

Hohlräume, laugen so das Salz aus dem Stein und pumpen die Sole zu den Sudhäusern. Hundert Knappen etwa sind es noch. Aber die Knappenhäuser des Salzbergtales stehen leer. Seit ein Aufzug im Inneren des Berges von Hallstatt bis hier herauf durch alle Horizonte des Bergwerkes führt, muß keiner mehr in diesem engen Tal wohnen, in dem die Sommer kurz und kühl und die Winter endlos sind. Doch, einer, sagt der Totengräber, ein einziger Bergmann lebe noch hier oben. Wir begegnen ihm nicht.

Das uralte Gräberfeld, eine Almwiese, über die wir jetzt zu den Mundlöchern der Stollen hinaufwandern, hat Hallstatt, die Salzstätte, in die Geschichtsbücher gebracht: Keltische Bergleute haben in der dünnen Krume dieser Almwiese ihre Toten und die Zeichen einer mit dem Salzbergbau verbundenen Kultur begraben, deren Anfänge sich im Grau der Steinzeit verlieren. Schon die neolithischen Jäger waren der Solequellen, der sauren Wasser und des Steinsalzes wegen in diese Unwirtlichkeit heraufgestiegen und hatten Äxte und Scherben, schmucklose Spuren hinterlassen. Aber zwischen dem 9. und 4. Jahrhundert vor Beginn der abendländischen Zeitrechnung hatten die Salzbergleute ihre Kultur zu einer so wunderbaren Blüte gebracht, daß die Forscher und Ausgräber der Neuzeit eine ganze Epoche, das Zeitalter des Übergangs von der Bronze- zur Eisenzeit Europas, nach diesem engen Tal, dem Ort ihrer reichen Funde, getauft hatten: die Hallstattzeit.

Mehr als zweieinhalbtausend Gräber haben die Archäologen auf dieser Alm geöffnet und wieder geschlossen, haben die Skelette geprüft, Hypothesen über Erd- und Feuerbestattungen formuliert und mit den aus der Erde genommenen Grabbeigaben Museen gefüllt – es waren Bernsteinketten, Bronzegefäße, Fibeln mit kunstvollen Nadelrunen, mit Elfenbeinintarsien versehene Schwerter und Dolche und goldene Klapperbleche, die tote Frauen bis in alle Ewigkeit hätten schmücken sollen ... Im Tausch gegen solche Kleinodien hat die Wissenschaft auf dieser Almwiese nur ein paar Hinweistafeln hinterlassen und ein Schaufenster in die Eisenzeit – ein mit Glas abgedecktes Modellgrab, in dem Skelette aus Plastik liegen.

Auf seinem Friedhof, sagt der Totengräber, sei es undenkbar, auch nur einen silbernen Trachtenknopf aus einem geöffneten Grab zu entfernen. Nur die Skelette müßten ins Beinhaus, alles andere, Rosenkränze und Schmuck, bleibe für immer unter der Erde. Natürlich sei es vorgekommen, daß ihn ein Angehöriger vor einer Umbettung ersucht hätte, doch nach einem Orden, einem Goldzahn oder einem Ring zu sehen, der da unten irgendwo noch liegen müßte. Er könne die Leute ja auch verstehen. In Hallstatt gebe es nicht viele Reiche. Aber ein Grab sei ein Grab.

Wir haben einen der wenigen unverriegelten Stollen am Hang betreten. In regelmäßigen Abständen glimmen Grubenlampen an den Stollenwänden; eine spärliche Lichterprozession in den Berg. Auch hier außer uns niemand. In langsamen Tränen rinnt das Sickerwasser über die Wände des Schachtes. Hier ist es so still, daß man nichts hört als ein Klingen im Kopf. So ist es unter der Erde.

Die Stollen und Grubenkammern der Hallstattzeit hat der ungeheure Gebirgsdruck im Lauf der Jahrtausende wieder geschlossen. Nur manchmal, wenn ein Erdrutsch das Gestein verschob, oder im Vortrieb eines neuen Schachtes, öffneten sich plötzlich prähistorische Räume und Nischen. Dann fand man von Salzkristallen blühende Steigbäume, Kienspäne und Bronzepickel. Im April des

Jahres 1734 war man so auf den noch unverwesten Leichnam eines Bergmannes gestoßen – den gedörrten *Mann im Salz*. Man schlug ihn aus dem Gestein und trug ihn nach Hallstatt hinunter. Aber wo ihn begraben? Wie lange mochte er im Berg gelegen haben? Vielleicht war der Gedörrte noch nicht einmal ein durch das Kreuz erlöster Mensch, sondern ein Heide gewesen. So hatte man ihn dann in Gottes Namen in dem für die Selbstmörder und Unerlösten bestimmten Winkel des Hallstätter Friedhofs begraben. Die lateinische Sterbematrikel, eine Pergamentchronik des Todes, die im Pfarrhof aufbewahrt und in seit Jahrhunderten fortlaufenden Nummern immer noch weitergeführt wird, überliefert dieses Ereignis in einer schön geschwungenen Federschrift.
Der Stollen, in dem wir tiefer in den Salzberg gegangen sind, ist kaum breiter als eine Tür; um diese Tageszeit fahren oft Lorenzüge aus. Für uns wäre dann nur noch Platz in einer Nische des Stollens. Wir müssen hinaus und ohnedies hinunter nach Hallstatt, sagt der Totengräber; er habe dem Pfarrer versprochen, für einen Bekenntnislosen, der heute ins Salzburger Krematorium überführt werde, den Abschied zu läuten. Bekenntnislos oder nicht – ein Hallstätter sei der verstorbene Knappe ja doch gewesen.

Wir schlagen den Weg ins Echerntal ein. Keiner habe die Pracht dieses Tales, ja dieses ganzen Gebirges so beschrieben wie Adalbert Stifter, sagt der Totengräber. Die verlassene Knappensiedlung bleibt hinter uns zurück. Das Salzbergtal klappt zu wie ein Buch. Den Stifter könne er immer wieder und nie genug lesen. Und dazu Hauff, Tieck, Novalis, Brentano … gewiß, auch anderes, die deutschen Romantiker aber vor allem. Idam kennt viele Passagen seiner Lektüre auswendig und gerät, wenn er erzählt, oft ins Zitieren, ins Hersagen. Dann wechselt er mitten im Satz in die Hochsprache, sein Ton wird getragen; er ist plötzlich in einem Roman, einem Gedicht. Er deklamiert. Spielt er das alles bloß? Inszeniert sich da einer selbst: Bildnis des jungen Mannes als Totengräber? Wie schön alles zusammenpaßt – der Bergfriedhof, das Totengräberhaus, die Romantiker, Freund Hein und Gevatter Tod, der schwarze Kammgarnmantel ... Selbst seine Briefe schreibt Idam in der verjährten Kurrentschrift und tippt Gedichte auf seiner Schreibmaschine, einer Sonderanfertigung, in Fraktur! Nein, widerspricht Friedrich Valentin Idam, kein Spiel. Gespielt habe er den Totengräber nur ein einziges Mal. In einem Fernsehfilm. Eine Nebenrolle. Einen Anstaltstotengräber in einem Irrenhaus.

Wir haben die Kante der mehr als dreihundert Meter senkrecht, dann wieder überhängend in steinernen Kaskaden abfallenden Echernwand erreicht. Hier müssen wir hinunter. Der aus dem Felsen gehauene Pfad, der Gangsteig, ist kaum mehr als ein in Serpentinen gezackter Kratzer im Stein. Jetzt geht der Totengräber voran. Jetzt kein Wort mehr bis ins Tal. Und dann auf dem Echerntalweg vorüber an Wasserfällen, die aus einer nebeligen Höhe mehr herabwehen als fallen, nach Hallstatt zurück. Vier Stunden sind wir gegangen. Vor der Aufbahrungshalle nimmt eine Blaskapelle Aufstellung. Das Tor zum letzten Weg steht offen: im Halbdunkel der Halle ein Katafalk, ein Sarg; ein verweintes Gesicht.

Wir steigen die überdachte Stiege zur Kirche hinauf. Nur diese Stiege und ein in den Hang geschlagener Weg führen zum Friedhof; keine Straße. Dann stehen wir vor dem Karner. Hier verläßt mich der Totengräber, um dem Knappen die Sterbeglocke zu läuten. Das Gitter des Karners ist geschlossen. Mattsilbern die Schädelreihen dahinter. In einer Obstkiste am Gitter, wie Brennholz, liegen die Knochen eines noch ungebleichten Skeletts. Der erdige Schädel obenauf. Der Torbogen ist nach Osten gerichtet. Am Morgen ist es in Hallstatt nirgendwo heller als in diesem Gewölbe. Das Beinhaus, hatte mir der Pfarrer von Hallstatt erklärt, sei das eigentliche Grab der Gemeinde. Draußen am Friedhof, da lägen die Evangelischen noch von den Katholischen getrennt. Aber im Karner gebe es keine Unterschiede mehr – keine Zeichen des Bekenntnisses und der sozialen Stellung, keine Prachtgräber, keinen Prunk. Im Karner sei endlich alles so, wie es sein sollte.

Mit den ersten Schlägen der Sterbeglocke setzt auch die Blechmusik ein. Ein böiger Wind springt kalt aus den Gassen und raspelt auf dem Seespiegel rasch dahingleitende, schwarzblaue Schatten auf. Kein Wind zum Sterben. Im Südwind, hatte der Totengräber gesagt, werde viel gestorben. In der Kälte würden die Kranken und Alten noch einmal alle Kräfte aufbieten und auf eine mildere Zeit hoffen. Aber gerade dann, in der Erleichterung des Südwinds, im Aufatmen und Nachlassen der Aufmerksamkeit, käme der Tod.

(1988)

Kaprun

Oder die Errichtung einer Mauer

Es war ein dünner, panischer Gesang. Wenn das Gebirge leiser wurde, schwächer die Windstöße über den Geröllhalden und Felsabstürzen und eine emporrauchende Nebelwand auch das Getöse der Großbaustelle Limberg zu einem fernen Dröhnen dämpfte, dann hörte man diesen Gesang. Es war das Todesgeschrei der Ratten. Naß, zerzaust, in schwarzen Scharen waren die Ratten aus den Ruinen des Arbeiterlagers am Wasserfallboden gekrochen, aus den ins Gestein gesprengten Latrinen, Abfallgruben und Stollen, und hatten sich vor der Flut zu retten versucht. Wochenlang, heißt es, hielten sie einen Felskegel besetzt, eine täglich kleiner werdende Insel, und pfiffen und schrien ihr Entsetzen gegen das schon unerreichbare Ufer, kletterten immer höher, kämpften um jeden Halt ihrer verschwindenden Zuflucht, fielen schließlich übereinander her. Langsam und trübe stieg die Flut ihnen nach. Das Gletscherwasser füllte alle Gruben und Hohlräume aus, drängte in jede Falte des Hochtales, hob liegengebliebenes Bauholz, Balken, Gerüstteile auf und schloß sich über allem, was sich nicht heben ließ. Der Spiegel des Limbergstausees, hoch über Kaprun und sechzehnhundert Meter über dem Meer, stieg ruhig, träge, stieg, überspülte schließlich die Zuflucht der Ratten und wusch den Stein leer.

Gewiß, dieser Untergang ist nur ein marginales Bild aus der Baugeschichte der drei großen Staumauern von Kaprun, eine Beiläufigkeit aus der Zeit des ersten Anstaus zu Limberg 1949 und 1950, und ist nichts gegen die Tragödien und Triumphe, die man in den Jahren der Errichtung der weit in den Hohen Tauern verstreuten Anlagen des Speicherkraftwerkes Glockner-Kaprun beklagt und gefeiert hat. Dennoch fehlt die Erinnerung an den Untergang der Ratten in kaum einem Bericht und keiner Zeugenaussage derer, die damals an den Mauern geplant und gelitten haben. Einmal hämisch ausgeschmückt und dann wieder als karge, apokalyptische Parabel erschien dieser Untergang immer wieder in der Überlieferung. Als bloße Karikatur einer Katastrophe eignete er sich vielleicht auch wie kaum ein anderes Bild zur Illustration jener verborgenen Angst, die dem Anblick von Staudämmen als Makel anhaftet – der Angst vor der Flutwelle, die nach dem Bersten der Limbergsperre hoch wie ein Dom die langen Stufen des Kapruner Tales hinabspringen würde. Innerhalb von zwanzig Minuten – man hat auch das »Undenkbare« längst an Modellen im Maßstab eins zu hundert geprobt – würde die ungeheure Welle das am Talausgang liegende Dorf erreichen, darüber hinwegrasen, dann in das Salzachtal hinausfluten und nichts hinter sich lassen als Schutt und einen großen Morast.

Aber in Kaprun, heißt es, fürchte sich schon lange keiner mehr. In den drei Jahrzehnten, die seit der Krönung der Kapruner Talsperren vergangen sind – der 120 Meter hohen und 357 Meter langen Limbergsperre, die den Stausee am Wasserfallboden hält, und der ähnlich mächtigen Drossen- und Moosersperre, zwei durch einen Felskegel voneinander getrennte Mauern, die den im höchsten und letzten Ausläufer des Tales auf zweitausend Meter gelegenen

Stausee Mooserboden dicht unter die Gletscher zwingen –, in diesen drei Jahrzehnten also haben die Inklinatoren, die Teleformeter, Sammelglocken, Klinometer, Pegel und Pendel, haben Hunderte in die Dämme eingemauerte Kontrollvorrichtungen keinen Wert angezeigt, der Furcht bestätigt oder gar einen Alarm ausgelöst hätte. Daß für die Stunde des Undenkbaren nach wie vor acht Sirenenwagen bereitstehen, daß auf einer Almwiese im Ortsteil Lehen, unerreichbar für die Flutwelle, nach wie vor ein weißgekalktes Häuschen instand gehalten wird, das dem Bürgermeister und der Exekutive in dieser Stunde als Kommandostand dienen soll, und daß schließlich auch der Flutwellenalarm nach wie vor und regelmäßig geübt wird, ist bloß Vorschrift und Routine. Im Kapruner Tal ist das Vertrauen in die Technik groß wie die Staumauern selbst: Die Alarmübungen bleiben stets auf wenige Eingeweihte beschränkt, von den Sirenen wird auch probeweise kein Gebrauch gemacht, kein Laut soll die Touristen beunruhigen, und die Hinweistafeln für das Verhalten im Ernstfall sind längst aus dem Ortsbild verschwunden. Alle nötigen Anweisungen wurden auf diskrete Flugblätter gedruckt und an die Kapruner Haushalte verschickt. Dort vergilben sie jetzt. Das ist alles. Es herrscht Ruhe im Tal.

Spiegelglatt hinter den dunklen Mauern, eingefaßt von schönen Bergzügen und gesäumt von Steinhalden und Almwiesen, liegen die beiden Stauseen wie eine bloß zum Spiel ins Urgestein gesetzte Zierde, eine Fremdenverkehrsattraktion. Und tief unterhalb der Seen Kaprun, ein blühendes Dorf, das entlang der Baugeschichte des Speicherkraftwerkes wohlhabend und groß geworden ist. Ein Bergführerdorf war es einmal, berühmt für seine prachtvollen Hochtäler und Dreitausender, und hatte kaum siebenhundert Einwohner, bevor die Planer, Ingenieure und

Arbeiter kamen und den Ort zunächst in ein riesiges Baulos und dann in einen schmucken Schauplatz des Fremdenverkehrs verwandelten.

Das Kaprun der Gegenwart, sagt Bürgermeister Helmut Biechl in seinem Amtszimmer, während draußen ein kalter Augustregen rauscht, sei sozusagen eine Folge des Kraftwerkbaues, eine Begleiterscheinung. Auch er, sagt der Bürgermeister, sei wie neun seiner neunzehn Gemeinderäte bei den Tauernkraftwerken beschäftigt, ein Maschinenschlosser aus Rauris, der erst durch den Sperrenbau nach Kaprun gekommen sei und sich dann, wie etwa achthundert andere Arbeiter auch, hier niedergelassen habe. Mehr als 2700 Einwohner werden nun in Kaprun gezählt, das Bild eines Bergführerdorfes ist längst verwischt, und gezählt werden dreizehn Hotels, neun Gasthöfe, 65 Frühstückspensionen, neun Pensionen, 75 Häuser mit sogenannten Fremdenzimmern und 31 Ferienappartments. Die Geschäfte gehen gut. Der Sieg über die Natur, der Triumph der Technik, von dem man in den Baujahren viel geschrieben und geredet hat, hat sich als so vollständig und total erwiesen, daß man ihn nun vergessen könnte – wären da nicht jährliche Hunderttausende Touristen, die mit Stand- und Drahtseilbahnen, mit in Tunnels dahinröhrenden Autobussen, mit Liften und Schrägaufzügen und allen ehemals zum Baumaterialtransport verwendeten Mitteln durch das Gebirge geschleppt, gehoben, gefahren und gezogen werden. Die Hinterlassenschaft der Talsperrenbauer umfaßte schließlich nicht bloß die beiden großen Stauseen und einen dritten, kleineren, an der Zunge des Pasterzengletschers am Großglockner gelegenen Wasserspeicher, nicht bloß zwei Krafthäuser mit einem jährlichen Energiegewinn bis zu 700 Millionen Kilowattstunden und ein verzweigtes System von Zuleitungsstollen und Lawinensicherungen, sondern ebenso das Ende der Kapruner Unzugänglichkeit – ein volltechnisiertes Idyll.

Aber wie die meisten Idylle der Zweiten Republik hat auch dieses hier eine Geschichte, deren einzelne Abschnitte das österreichische Nationalbewußtsein mit wechselndem Erinnerungsvermögen bewahrt: an die zwanziger und dreißiger Jahre, die Jahre der ersten Entwürfe und der ebenso ehrgeizigen wie undurchführbaren Großkraftwerkspläne der Württembergischen Elektrizitätsgesellschaft und der Allgemeinen Elektricitäts-Gesellschaft Berlin, an alpenunerfahrene Techniker, die im Auftrag eines in alles Große und dann folgerichtig auch ins Großdeutsche verliebten Salzburger Landeshauptmannes den Anfang gemacht hatten, erinnert man sich der Vollständigkeit halber und ohne besondere Schwierigkeiten. An die düstere erste Bauphase während des Krieges erinnert man sich der Genauigkeit halber nicht – das war schließlich eine großdeutsche Zeit und keine österreichische, weiß Gott, und zudem die Zeit der Gefangenen- und Zwangsarbeiterlager am Rande des Dorfes und auf den Almen, die Zeit der namenlosen Toten und des Arbeitermassengrabes an der Salzach. Man habe damals die Leichen karrenweise von der Baustelle geschafft, sagt der Landwirt und Pensionsbesitzer Josef Mitteregger vom Oberlehenhof und stellt einen Eimer eben gepflückter Kirschen ins Gras. Bei dieser Hundearbeit damals und nur einer Krautsuppe täglich kein Wunder, daß viel gestorben worden sei. Aber der Krieg habe eben in einem Kapruner Lager nicht anders ausgesehen als in einem russischen oder sonstwo.

Erst die Bauchronik der Nachkriegszeit, die stets die eigentliche sein soll, enthält wieder klare bis strahlende Bilder, die hochgehalten, immer wieder gesäubert und weiter überliefert werden. »Kaprun ist ein moderner Mythos für

Österreich«, heißt es in einem jener dem Talsperrenbau gewidmeten Heldenromane, die für fünf Schilling Entlehngebühr pro Band in der kleinen Gemeindebücherei von Kaprun nach wie vor bereitliegen; Kaprun ». . . steht an der Wiege unserer jungen Zweiten Republik. Seine Geburt war gleichzeitig die Wiedergeburt Österreichs.« Aber die in Romane wie *Hoch über Kaprun, Die Männer von Kaprun* oder *Kaprun – Bezähmte Gewalten* eingeklebten Entlehnzettel belegen nur den Schwund des Interesses an Wiederaufbaumythen; zwei, drei Leser pro Buch und Jahr stehen da vermerkt. Ein paar Fremde, sagt der Büchereileiter, säßen manchmal an Regentagen im Leseraum.

Ich nähere mich dem verblaßten Mythos Kaprun an einem jener 140 Niederschlagstage, die in der Gemeindestatistik neben 98 Schneedecken- und 128 Frosttagen als jährlicher Durchschnitt genannt werden. Es ist ein kalter Dienstag im August, auf den Steilhängen oberhalb der Stauseen liegt Schnee, und das Sirren der 220 000-Volt-Leitungen, die ein schmales Stück freien Himmels schraffieren, klingt wie der Flügelschlag eines großen Insekts.

Der Sperrenbau? Die Errichtung der Krafthäuser? Die Verwandlung Kapruns? – Alles Fragen für den Rainer, sagt Gemeindesekretär Endleitner über seinen Schreibtisch; der Gottfried Rainer könne am besten darüber Auskunft geben. Der sei dabeigewesen.

Gottfried Rainer, der letzte der alten Bergführer des Dorfes, sitzt in der Stube eines kleinen, dunkelhölzernen Hauses, das als *Museum* beschildert ist, und schnitzt an einem Löwen aus Zirbenholz. Das Museum, ein zerlegtes und hier wieder aufgebautes Almhaus, wirkt zwischen den vielen Neubauten Kapruns verloren und unzeitgemäß wie die Fragen nach der Geschichte des Sperrenbaus. Das sei doch alles fast schon vergessen, sagt Rainer und schneidet mit dem Hohlmesser Holzlocken aus den Augen des Löwen, das bewege hier niemanden mehr. Gewiß, er selber habe vom ersten bis zum letzten Betonkübel an dieser großen Arbeit mitgetan – als Bergführer für die Planer und Herrschaften zuerst, dann als Vermesser und Zeichner, als Betonierer, als Mineur in den Stollen, und habe auch als Schlepper das ausgesprengte Gestein aus den Schächten geschafft – wie ein Vieh lebe so ein Mensch in den Stollen dahin. Dabei habe er bei allem Staub und Rauch und Schlamm im Inneren des Gebirges immer auch noch eine Musik im Kopf gehabt und sich in den Nachtschichten dieser Jahre drei Märsche ausgedacht. Wenn er an den freien Tagen nach Hause gekommen sei, habe ihn seine Frau anschreien müssen wie einen Narren, so taub sei er gewesen vom Donner der Sprengungen. Aber die Märsche, die habe er zu Papier gebracht und auf dem Flügelhorn selbst gespielt; der schönste von den dreien, der *Kapruner Marsch*, werde noch jetzt von der Blaskapelle immer wieder aufgeführt.

Nein, zu den Sperren hinauf und über die Gletscher wird Gottfried Rainer nun wohl nicht mehr gehen. Er hat lebenslang große Mühen gehabt dort oben, hat als Bergführer so viele Damen und Herren aus den Städten über die Grate und Gletscher gebracht und die Leichen anderer, die abgestürzt, unter die Lawinen gekommen oder ins Eis gefallen sind, geborgen und ins Tal getragen. Was soll er jetzt noch auf den Dammkronen, ein alter Mann unter dem Touristentumult? Dort oben gibt es jetzt viel anzuschauen und nichts mehr zu tun. Und außerdem hat Gottfried Rainer das Gebirge längst im Kopf, alle Schroffen und Bergzüge und die Hochtäler so, wie sie gewesen sind, bevor sie von den Stauseen überflutet wurden – die Orglerhütte, das schöne Mooserbodenhotel, von dem aus die

Sommerfrischler zu den Gletschern aufgebrochen sind; alles versunken. Zur Zeit des ersten Anstaus, 1949 auf dem Wasserfallboden und fünf Jahre später am Mooserboden, war sogar erlaubt, was ansonsten als Bosheit an den Bergen gilt – der Enzian, Almrausch und alles Edelweiß der zum Untergang bestimmten Almen durfte mitsamt den Wurzeln ausgegraben und fortgetragen werden.

Gottfried Rainer hat sich auch ausgegraben und entfernt von dort. Aber ja, am Strom aus Kaprun war und ist viel gelegen. Nun ist es ja auch nicht so, daß ihm die Stauseen nicht gefielen; bei schönem Wetter und Vollstau im Herbst liegen sie recht schön da, und die vom winterlichen Hochbetrieb der Turbinensätze geleerten Wasserspeicher des Frühjahrs bekommt ohnedies kaum einer zu Gesicht; kaum einer die wüsten, grauen Steinhalden, aus deren Bodensatz dann langsam die Ruinen des Arbeiterlagers, der Orglerhütte und alles Versunkene wieder auftaucht. Nein, es ist schon gut, wie es ist; nur – sein Platz, Gottfried Rainers Platz, ist jetzt eben hier, im Museum. Hier hütet und pflegt er die Gebrauchsgegenstände einer verschwundenen Kultur – Dengelstöcke, Sicheln, hölzerne Traggestelle, Schindelmesser, Schneeschuhe, auch das geschmiedete Werk der alten Turmuhr und an der Wand, groß und gerahmt, die Fotos vom Sperrenbau – eine Galerie der Mühsal.

Wenn Besucher kommen, Fremde, legt Rainer sein Schnitzwerkzeug beiseite, nimmt seinen Zeigestab und geht dann erzählend von Bild zu Bild, von Erinnerung zu Erinnerung. Hier zum Beispiel, der dicke, strahlende Herr in Uniform, das ist der Generalfeldmarschall Hermann Göring beim ersten Spatenstich für das Krafthaus Hauptstufe. Das war 1938. Im Mai. Es war ein Fest – zwischen Zell am See und Kaprun Tausende ins Heil gestreckte

Hände, dann die Reden, die Huldigungen, viel Musik und die große Mahlzeit im Gasthof Orgler. In Kaprun hatte man damals schon nicht mehr an ein Kraftwerk geglaubt: Die maßlosen Pläne der zwanziger und frühen dreißiger Jahre waren längst an den Intrigen der Kohlenindustrie und schließlich der Weltwirtschaftskrise zunichte geworden. Nur einige umstrittene Versuchsbauten lagen verwahrlost im Gebirge – der Hangkanal unterhalb des Wielinger Gletschers etwa, das lächerlich kurze Probestück eines nie gebauten, 1200 Kilometer langen Kanalsystems, das die Hohen Tauern wie eine Dachrinne umsäumen und alles Wasser der Berge den Stauseen hätte zuführen sollen. Also gut. Und dann kam Herr Göring – Österreich war damals unter dem Jubel der anschlußfreudigen Österreicher eben erst im Dritten Reich verschwunden –, und Herr Göring plärrte über die Pinzgauer Trachtenhüte hinweg, nun sei es auch mit der österreichischen Schlamperei und Gemütlichkeit vorbei, nun werde das große Werk endlich begonnen, und hob dann zwischen Kaprun und Köttingseinöden ein paar Schaufeln saurer Erde aus. »Der Preuße sagt, es wird gebaut! Armes Kaprunertal!« steht über diesen Tag in der Pfarrchronik. Aber im Ort, den Pfarrer und einige Bauern ausgenommen, die am Wirtshaustisch gegen die Verwüstung der Almen protestierten, war man zufrieden. Arbeitsplätze waren ja versprochen, wirtschaftlicher Aufschwung und der Dank des Führers. Am Ort des ersten Spatenstiches, am Weg nach Köttingseinöden, liegt heute zwar kein Krafthaus, sondern nur die Pension Erika, das Werk wurde weiter taleinwärts errichtet – aber einen wirklichen Anfang, das könne nun einmal nicht mehr geleugnet werden, sagt Gottfried Rainer, habe dieser Herr Göring doch gemacht. Noch vor der Anzettelung des Zweiten Weltkrieges habe also in Kaprun der Krieg gegen das Gebirge begonnen: Straßen mußten durch die schlimmste Unwegsamkeit gebaut werden, Brücken geschlagen, Tunnels ausgesprengt, Schienen verlegt, und mit Tragseilen für Dutzende Materialseilbahnen mußten dann auch die Abgründe zugenäht werden.

Gottfried Rainer hat damals geholfen, die Wildnis zu vermessen, hat den Verlauf geplanter Tunnels abgesteckt und Karawanen schwerbeladener Pinzgauer Rösser in die Gletscherregion hinaufziehen sehen. Die Rösser haben ihm leid getan; alle paar Tage ist eines unter der übergroßen Last mit schaumigen Nüstern verreckt. Aber dann kam der Krieg, dann kamen die Gefangenen, und es gab mehr zu bedauern als tote Pferde. Baracken, überall standen Baracken – dort, wo heute das Café Nindl steht, in dem sich an den Volkstanzabenden die Touristen drängen; dort, wo heute die Werkssiedlung und das Umspannwerk liegen, und an der Salzach, am Wasserfallboden; auf der Zeferetalpe ...; selbst an Steilhängen, die nur mit alpiner Ausrüstung zu durchsteigen waren, klebten die Baracken wie Vogelnester. Drei- und viertausend Arbeiter aus allen »Feindländern« mühten sich in den Hochbetriebszeiten, den wenigen schneefreien Monaten, mit der Verwirklichung von Plänen ab, die der Schroffheit und Widerspenstigkeit dieser Landschaft immer neu angeglichen werden mußten, und schufen so die Voraussetzungen für den späteren Sperrenbau. Viele von ihnen starben unter den Lawinen, mit denen sich das Gebirge zur Wehr setzte, unter Steinschlägen, Erdrutschen, in den Wasserstollen, an Erschöpfung und an der Unbarmherzigkeit dieser Jahre. Wie viele Tote? Gottfried Rainer weiß es nicht mehr; ernsthaft gezählt wurde ja erst wieder nach dem Krieg, als ein Verstaatlichungsgesetz die Tauernkraftwerke AG zum neuen Bauherrn machte. Über die namenlosen frühen Toten wird in Kaprun nur in Ausnahmefällen gesprochen. Hundert Tote vielleicht, sagen dann die einen; mindestens vierhundert, die anderen. Mindestens vierhundert, sagt auch Hippolyt Ennsmann, der damals Hüttenwirt gewesen ist, später als Mineur und Materialseilbahnführer am Sperrenbau gearbeitet hat und jetzt als Pensionist nahe der Werkssiedlung in Kaprun lebt.

An die ersten Baujahre erinnert nur ein verstecktes Denkmal abseits jener Straße, die vom Dorf zur Burgruine Kaprun führt. Aber die dichten Sträuße touristendienlicher Hinweisschilder an den Wegkreuzungen des Ortes enthalten keinen Hinweis auf dieses Zeugnis: Der Weg dorthin ist so schmal, daß die Schultern eines Besuchers an Gebüsch streifen. Es ist eine kleine, grüne Sackgasse, an deren Ende das Ärgernis des *Russendenkmals* aufragt. Ein meterhoher Obelisk, geschützt von der Warntafel »Kriegsgedächtnisstätte – Beschädigung wird streng bestraft« und rot gekrönt von Hammer, Sichel und Sowjetstern, bewahrt hier in aller Abgeschiedenheit das Andenken an die Unglücklichen, deren Leichname aus dem Massengrab an der Salzach exhumiert und unter diesem Stein wieder beigesetzt werden mußten. An die kyrillische Inschrift auf der Stirnseite des Obelisken schließt, unbequem und unversehrt, die deutsche Übersetzung an:

Hier liegen 87 Sowjetbürger
von deutsch faschistischen Eroberern
ins Elend getrieben und fern von der Heimat
ums Leben gekommen

In Kaprun hatte man sich vergeblich gegen dieses Denkmal gewehrt, und es steht wohl auch nur da, weil Nikita Chruschtschow, neben dem Schah von Persien einer der vornehmsten Talsperrenbesucher, es so gewollt hat. Und die Polen, die Tschechen, die Jugoslawen und alle anderen Zwangsarbeiter? Die haben kein Denkmal, sagt Gottfried Rainer. Er ist für diesen Tag am Ende seiner Erklärungen, am Ende seiner Galerie. Rainer hat mich an Bildern vorübergeführt, die den Ansichten einer in die Talenge gekeilten Wolkenkratzerstadt glichen – es waren Bilder der halbfertigen Limbergsperre, die in turmähnlichen, durch schmale Klüfte voneinander getrennten Blöcken hochgemauert wurde. Durch diese Kühlspalten konnte die Hitze des aushärtenden Betons verfliegen, und an kalten Tagen standen Dampfwolken über der wachsenden Mauer. Auch diese Wolken habe ich gesehen. Rainer hat von den vielen, nur für diesen Bau gemachten Erfindungen erzählt, von neuartigen Betonier- und Sprengtechniken, von genialen statischen Lösungen, und mir die Anordnung der Arbeiterlager im Gebirge gezeigt; Bilder von schneeverwehten, dann staubbedeckten und wieder schneeverwehten Unterkünften; Bilder von Steinschlagverwüstungen und Lawinenstrichen, die immer wieder von Trümmern starrende Schneisen durch alle Einrichtungen und Ordnungen der Baulose zogen und die Liste der Toten verlängerten.

Und Rainer hat mir auch das Bild eines Helden gezeigt, es war der vierte von links in einer Arbeitergruppe, die vor dem Mundloch eines Stollens posierte. Dieser Mann, der als »Tauernbüffel« in die Geschichte des Sperrenbaus eingegangen sei, habe vor allen anderen dafür gesorgt, daß in Kaprun nach dem Krieg alles zu einem guten Ende kam; Ernst Rotter sein Name – der Oberingenieur und Herr über sämtliche Baulose im Tal und im Gebirge. In der ersten Zeit nach dem Krieg, in der das Entsetzen über das Geschehene allmählich öffentlich wurde, hatte ja auch in Kaprun der große Stillstand geherrscht. Noch im Sommer 1945 war am Wasserfallboden der Hilfsdamm geborsten, der einen provisorischen Kraftwerksbetrieb ermöglicht hatte; die Flutwelle war nur klein gewesen, eine Million Kubikmeter Wasser, nichts gegen die mehr als 170 Millionen Kubikmeter, die nun in den Stauseen bereitliegen – aber diese Welle hatte doch ausgereicht, um die Höhenbaustelle zu Limberg in eine Ruinenlandschaft zu verwandeln. Was von den Resten noch brauchbar war, wurde demontiert, gestohlen und verschwand über die Saumpfade im Schleichhandel der Mangelzeit, bis die amerikanischen Besatzer die Plünderung ihrer hochgelegenen Beute mit der Todesstrafe bedrohten.

1946, nach langen Verhandlungen zwischen den Besatzern und den Vertretern eines mit seiner Unschuld beschäftigten Österreich, wurde die Arbeit wieder aufgenommen – chaotisch und regellos zuerst und ohne viel Hoffnung: Es gab kaum Arbeitsgerät, kaum Lebensmittel, Baumaterial, Kleidung, kaum Unterkünfte und viele Trauernde. Die alte Bauleitung war im Salzburger Entnazifizierungslager Glasenbach verschwunden, die Zwangsarbeiter waren heimgekehrt – und wer kam in diesen Zeiten schon freiwillig in die Wildnis der Hohen Tauern? Langsam, sehr langsam und allen Beschäftigungsplänen weit hinterher formierte sich im Kapruner Tal eine neue Arbeiterschaft: Da waren kriegsgefangene Österreicher unter amerikanischer Bewachung neben freien österreichischen Arbeitern – Heimkehrern, Heimatlosen, Ausgebombten, Vertriebenen und Flüchtlingen; da waren die aus den Kellern und Konzentrationslagern des Dritten Reiches befreiten Kommunisten und Sozialdemokraten neben den nun selber zur Zwangsarbeit verurteilten Nazis; die einzelnen Gruppen lebten in verschiedenen Lagern, nur verbunden durch die gemeinsame Arbeit und eine oft ungebrochene Feindschaft. Und dann kamen auch die neuen, über jeden Verdacht der nationalsozialistischen Mittäterschaft erhabenen Ingenieure; allen voran eine charismatische Gestalt – Rotter.

Gottfried Rainer zeigt mir zum Abschied den Weg: Ich hätte an der Dorfstraße nur auf einen dicht von Bäumen bestandenen Garten zu achten, das Haus der Rotters sei von der Straße aus kaum zu sehen, der Oberingenieur lebe jetzt mit seiner Frau sehr zurückgezogen, ich hätte höflich und zurückhaltend zu sein, der Tauernbüffel wolle an manchen Tagen niemanden sehen.

Der Tiroler Ernst Rotter hatte 1947 die Leitung über sämtliche Baustellen des Speicherkraftwerkes Glockner-Kaprun übernommen und dann etwas zustande gebracht, was als Entwurf der weiteren Geschichte der Zweiten Republik gelten konnte: Rotter hatte die mehr als fünfzehntausend Arbeiter, die sich unter seiner Anleitung bis zur Krönung der letzten Talsperre im Jahre 1955 plagten, zwar nicht restlos miteinander ausgesöhnt, aber mit einer perfekten Organisation und Verwaltung und grandiosen technischen Lösungen doch die Voraussetzungen für eine neue österreichische Identität geschaffen. Die aus den Mitteln der amerikanischen Marshallplan-Hilfe und später auch einer österreichischen Energieanleihe hochbezahlten Akkordarbeiter von Kaprun wurden nach und nach zu den Idealtypen des Wiederaufbaus. Gebannt starrte die Nation auf die wachsende, tragische Größe der Talsperren, auf ihr erstes Prunkstück, und richtete sich an jedem Höhenmeter auf. Kaprun *war* Österreich. Schon die Schlagzeilen jener Flut von Zeitungsartikeln, die das Baugeschehen durch die Jahre begleiteten und die erst lange nach der Vollendung des Speicherkraftwerkes in den Hängeordnern der Archive verebbten, bezeichneten das Feld eines nationalen Mythos:

Namenloses Heldentum in Kaprun / Gräßliche Lawinenkatastrophe in Kaprun – 15 Arbeiter tot / Unvergeßliche Kampftage in der Gletscherwelt / Kaprun: Die Nazis sind wieder da / Das steinerne Heldenlied von Kaprun – Jeder Stollenkilometer kostete zwei Tote / Symphonie der Arbeit / 132 Arbeiter mußten bisher für Kaprun sterben / Marshallplan hilft / Der Tauernbüffel – Gehaßt und geliebt / 1500 Arbeiter vom Abbau bedroht / Vom Schrägaufzug in die Tiefe gestürzt / Steinschlagkatastrophe am Mooserboden – Sechs Tote / Ist Kaprun eine Räuberhöhle? / Kapruner Arbeiter von Gendarmen erschossen / Betriebsratswahlen in Kaprun: Wahlbetrug! / Die Wahrheit über Kaprun / Die Schande von Kaprun / So war es wirklich in Kaprun / Und so fort.

Ernst Rotter lebt nun abgeschieden inmitten des Dorfes. Diese Bäume, sagt Luise Rotter, eine alte Dame, die mir das Gartentor geöffnet hat, und zeigt auf Fichten, die das Landhaus wie eine Mauer umstehen, diese Bäume habe *er* gepflanzt.

Und dann, in einem mit kunstvollen Möbeln und lebensgroßen Heiligenfiguren ausgestatteten Salon, an einem dunklen Tisch, sitzt ein alter Mann; groß, immer noch ein Hüne. Ernst Rotter ist dreiundachtzig Jahre alt. Ja, er leidet an seinem Alter. Ein Schlaganfall hat ihm viel von seiner Kraft genommen. An den Sperrenbau braucht er nun nicht mehr zu denken. Aber er hat noch viele Zahlen im Kopf – nicht nur Kubaturen und statische Berechnungen, auch andere. 71000 Briefe wurden auf den Höhenbaustellen geschrieben. Und nach dem Krieg waren noch 55 Millionen Arbeitsstunden nötig. Das sind 6278 Jahre. Diese Möbel da haben ihm auch seine Kapruner Arbeiter gemacht, alles Handarbeit, eine große Kunst. Die Figuren, die trauernde Madonna und den Gekreuzigten, hat er selber geschnitzt. Über die Baustellen hat er hart regiert. Unerbittlichkeit hat man ihm vorgeworfen. Aber er hat nie etwas verlangt, was er nicht auch von sich selber verlangt hätte. Das war sein Gesetz. Und er hat in seinen acht Sperrenbaujahren nie Urlaub gemacht und war nie fort aus Kaprun. Für Radikale, ob von links oder rechts, für Kriegsgewinnler und Zarte war kein Platz. Aufrührer und Schläger hat er eigenhändig aus dem Tal geprügelt. Streiks gab es kaum. Die meisten haben ja nicht nur an den Sperren, sondern an ihrem Leben gebaut. Das beweisen die schönen Häuser da draußen. Konferenzen und Besprechungen, lange Diskussionen hat er gehaßt. Er hat viel im Freien gesprochen, vor den Arbeitern, vor den Ingenieuren, und dabei oft Erklärungen, Kalkulationen und Formeln in den Schnee geschrieben. Viele sind zugrunde gegangen für dieses Werk. Allein nach dem Krieg und bis zur Vollendung waren es 52 Tote. Auf dem Kapruner Friedhof gab es früher einmal eine eigene Gräberzeile für diese Arbeiter; eine Reihe schmiedeeiserner Kreuze und steinerner Einfassungen. Aber dann hat sich niemand mehr um diese Gräber gekümmert. Sie wurden aufgelöst. Jetzt steht neben dem Kriegerdenkmal, bei den Zedern, ein Marmorstein mit 52 Namen und der Inschrift »Wir gedenken ihrer und aller anderen die beim Bau verunglückt sind in Trauer und Dankbarkeit«. Die Sperren, die werden halten. Nicht ewig. Aber sie werden ihn und viele, die nach ihm kommen, überdauern.

»Eines habe ich schon damals gewußt«, sagt Rotter dann und legt für seinen Besucher ein Buch über den Sperrenbau auf den Tisch, ein Geschenk, »ich habe gewußt, daß ich so etwas wie Kaprun nie wieder erleben werde. Seltsam, in der Mitte des Lebens zu stehen und zu wissen, daß alles, was noch kommt, nur das Kleinere und Unbedeutendere sein kann.« Dann schreibt er in das Buch eine Widmung. Es sind nur drei Worte: »Es war einmal.« Darunter setzt er seinen Namen. (1985)

Auszug aus dem Hause Österreich

Unterwegs zur letzten Kaiserin Europas

Österreich ist kein Staat, keine Heimat, keine Nation. Es ist eine Religion. Die Klerikalen und klerikalen Trottel, die jetzt regieren, machen eine sogenannte Nation aus uns; aus uns, die wir eine Übernation sind, die einzige Übernation, die in der Welt existiert hat ... Ihr habt mit euren leichtfertigen Kaffeehauswitzen den Staat zerstört ... Ihr habt nicht sehen wollen, daß diese Alpentrottel und Sudetenböhmen, diese kretinischen Nibelungen unsere Nationalitäten so lange beleidigt und geschändet haben, bis sie anfingen, die Monarchie zu hassen und zu verraten. Nicht unsere Tschechen, nicht unsere Serben, nicht unsere Polen, nicht unsere Ruthenen haben verraten, sondern nur unsere Deutschen, das Staatsvolk.

[Joseph Roth, Die Kapuzinergruft]

Die Paßstraße war trocken und kalt. Geröllhalden, Grate und Felszüge, an denen sich Wetterfronten und Wolken brachen, begannen den Reisebus im Rhythmus der Kehrschleifen zu umkreisen; ein Karussell aus Steinen, Krüppelkiefern und Schatten. Es war Frühling. Oder war es schon wieder Herbst? Welches Jahr? Das Gebirge ließ kaum Aufschlüsse darüber zu. Der Arlberg lag unter Firndecken.

Schwerfällig schraubte sich der Bus zur Paßhöhe hinauf und geriet dort in ein weißgoldenes Gleißen, das die Spätnachmittagssonne auf dem Firn hinterließ. Die Reisegesellschaft starrte aus allen Fenstern ihres Gefährts in die flimmernde Pracht. »Herrlich, herr-lich« – Baronin Klinger-Klingersdorff war entzückt. »Fabelhaft«, seufzte Baronesse Isabella von Miller-Aichholz. »Österreich ist schön«, wandte sich ihre Durchlaucht, die greise Prinzessin Lore von Thurn und Taxis, nach einem hinter ihrem Rücken in den Anblick der Bergwelt versunkenen k.u.k. Leutnant a.D. um, »Österreich ist schön; man kann hier auch im Regen spazierengehen.« Der Leutnant kam wieder zu sich und nickte ergebenst.

Man war unversehens in diese kalte Herrlichkeit gelangt, weil »unser Herr Franz«, wie die Gesellschaft ihren schweigsamen Chauffeur nannte, die Abzweigung in die Röhre des Arlberg-Tunnels übersehen hatte und auf die alte Paßstraße geraten war. Man sah es ihm nach. »Es ist gut, Herr Franz, sehr gut.« Dieser Irrweg war »wahnsinnig schön«. Und außerdem hatte man so der anderen Hälfte der Reisegesellschaft, die jetzt im Schwestergefährt in der klimatisierten Enge des Tunnels dahinschießen mochte, ein berauschendes Erlebnis voraus. Der Leutnant war begeistert. Er begann, halb sprechend, halb singend, die erste Strophe *seiner* Hymne zu rezitieren: »Gott erhalte, Gott beschütze unsern Kaiser, unser Land. Mächtig durch des Glaubens Stütze führt er uns mit weiser Hand.« Der Leutnant war aufgestanden und hielt sich am Gepäcknetz fest. Auf den hinteren Sitzbänken klirrten Weinflaschen. Die Serpentinen entlang lag schwarzer Schnee. Der allgemeine Reiseverkehr zog ungehindert über den Paß.

Der Untertan saß ans Fenster gelehnt und hielt die Augen geschlossen. Das kalte Glas des Fensters drückte gegen seine Schläfe, und dieser je nach Straßenlage an- und abschwellende Druck zwang ihn aus dem Halbschlaf immer wieder zurück in die Wirklichkeit: Er befand sich also tatsächlich auf dem Weg in die Schweiz; unterwegs zu ihrer Majestät Kaiserin Zita von Österreich, gekrönte Königin von Ungarn, geborene Prinzessin von Bourbon, Prinzessin von Parma, Enkelin des Königs Miguel I. von Portugal und allerhöchste Gemahlin des letzten Herrschers der Donaumonarchie, Seiner k.u.k. Apostolischen Majestät Kaiser Karls des Ersten.

Der Untertan richtete sich auf. Immer noch lag das *Handbuch des Allerhöchsten Hofes und Hofstaates* aufgeschlagen auf seinen Knien, und während draußen die Arlberger Felsenwelt vorüberzog, las er seiner Sitznachbarin, einer kaisertreuen Pensionistin aus Graz, den *Großen Titel* des letzten österreichischen Imperators langsam und schläfrig vor:

»Karl der Erste, von Gottes Gnaden Kaiser von Österreich, König von Ungarn, dieses Namens der Vierte; König von Böhmen, von Dalmatien, Kroatien, Slowenien, Galizien, Lodomerien und Illyrien; König von Jerusalem etc.; Erzherzog von Österreich; Großherzog von Toskana und Krakau; Herzog von Lothringen, von Salzburg, Steier, Kärnten, Krain und der Bukowina; Großfürst von Siebenbürgen, Markgraf von Mähren; Herzog von Ober- und Nieder-Schlesien, von Modena, Parma, Piacenza und Guastalla, von Auschwitz und Zator, von Teschen, Friaul, Ragusa und Zara; gefürsteter Graf von Habsburg und Tirol, von Kyburg, Görz und Gradiska; Fürst von Trient und Brixen; Markgraf von Ober- und Nieder-Lausitz und in Istrien; Graf von Hohenembs, Feldkirch, Bregenz, Sonnenberg etc.; Großwoiwode der Woiwodschaft Serbien etc. etc.«

Der Untertan hatte seine Leier beendet und hob den Kopf. Die Pensionistin aus Graz schien sehr aufgeregt. »Jessas Maria«, sagte sie.

Und Zita! Zita war die Gemahlin dieses Kaisers. Herrin über 53 Millionen Untertanen – Deutsche, Ungarn, Tschechen, Slowaken, Italiener, Polen, Ukrainer, Kroaten, Slowenen, Serben, Bosniaken, Rumänen, auch Türken, Huzulen, Griechen, Albaner und natürlich Juden – die Gemahlin des Königs von Jerusalem und des Herzogs von Auschwitz! Wahnsinn. War die Monarchin tatsächlich noch am Leben, oder war er hier in eine Zeitschleuder geraten?

»Ja, heut ist der Fünfte«, wandte sich die Pensionistin aus Graz bestätigend an den Untertan, »Sie sind ein lieber Mensch, Herr. Gehören Sie zur kaiserlichen Familie?«

Der 5. April des Jahres 1982 – also doch in der republikanischen Gegenwart. Dann war es tatsächlich erst gestern gewesen, früher Abend, als Baron Anreitter, Steinmetzmeister von Beruf und Grabarchitekt mit einer sehr schönen Grabsteinfirma gleich neben dem Ottakringer Friedhof im sechzehnten Wiener Gemeindebezirk, am Telefon gedehnt »Jawohl« gesagt hatte? »Jawohl, Abfahrt morgen, Montag, acht Uhr, Treffpunkt Westbahnhof. Zwei Busse, jawohl; einen wird Ihre Durchlaucht, Prinz Willy von Thurn und Taxis, übernehmen, den anderen meine Wenigkeit. Am Dienstag wird uns Fürst Liechtenstein auf seinem Schloß in Vaduz empfangen, und am Nachmittag werden wir im Johannesstift von Zizers bei Chur im Rahmen einer Audienz Ihrer Majestät der Kaiserin Zita unsere Glückwünsche zum Geburtstag überbringen.«

»Kann ich noch mit?« hatte sich der Untertan nach dieser Auskunft unverzüglich mit Prinz Willy von Thurn und Taxis in Verbindung gesetzt, und Ihre Durchlaucht: »Ausgeschlossen. Man wird mir ohnedies den Schädel einschlagen. Einhundertzwanzig Leute! Bedenken Sie! Wir sind hoffnungslos überfüllt. Spielend hätten wir eine Kette von Bussen besetzen können: eine Karawane!«

Beharrlich hatte der Untertan noch einmal die Grabsteinfirma angerufen, und Anreitter – »Lassen S' den Baron ruhig weg« – hatte ihm freundlich geraten, er möge doch den Ausfall eines Reisenden ins Kalkül ziehen und sich morgen früh »angemessen gekleidet« am Westbahnhofe einfinden. Angemessen gekleidet! Ein Audienzkostüm? Der Untertan betrachtete seine Schuhe. Die Reisegesellschaft fuhr soeben vor dem Hotel »Goldener Adler« in Feldkirch vor. Vorarlberg. Die Schuhe gehörten ihm nicht. Auch der dunkelblaue Burberry-Mantel, der über seinen Knien lag, gehörte ihm nicht. Von den beiden Van-Laack-Hemden, dem etwas eng sitzenden Anzug von Ermenegildo Zegna mit dem schnöselhaften Cardin-Gürtel, der Krawatte von Jil Sander und den Handschuhen aus Känguruhleder gar nicht zu reden. Alles geborgt. »Jules«, das Dior-Parfüm, kam ihm jetzt ausgesprochen peinlich vor. Nur gut, daß er wenigstens den Hut aus der New Yorker Fifth Avenue in Wien gelassen hatte. Wirklich, der letzte Abend war geradezu fieberhaft verlaufen. Die vielen Telefonate, Bitten um Kostümierungshilfe, die nächtlichen Besuche. Einmal hatte die Kragenweite nicht gepaßt, dann wieder war eine Hose zu kurz gewesen oder zu weit, eine Farbe zu hell oder ein Hut bis zu den Ohren hinabgesunken. Der Untertan sah Sedlacek wieder vor sich. Sedlacek, der Sekretär des österreichischen Bundeskanzlers, war in der Zugluft eines mitternächtlichen Stiegenhauses gestanden und hatte erstaunt noch einmal nachgefragt: »Schuhe brauchst du?«

Sedlacek war streng im Rahmen der republikanischen Verfassung Österreichs geblieben, als er, vor dem Kleiderschrank stehend, beiläufig »Zur Zita also fährst du« gesagt hatte. Zita, sonst nichts. Keine Majestät, keine Kaiserin davor. Einfach Zita. Schließlich waren ja in der Verfassung sowohl der Ersten als auch der Zweiten Republik keinerlei Kaiser mehr vorgesehen. Auch keine Adelstitel. Herzöge? Prinzessinnen? Grafen und selbst der kleinste Baron? Alles verraucht und verweht.

»Die Nationalversammlung hat beschlossen«, hatte es am 3. April des Jahres 1919 in Wien geheißen – die Republik war damals noch kein halbes Jahr alt, Herr Karl und Zita befanden sich bereits seit zwei Wochen außer Landes, am Bodensee und später in der Villa Prangins am Genfer See, dort war es auch schön –, »die Nationalversammlung hat beschlossen« – sollte das wirklich schon mehr als sechzig Jahre zurückliegen? Der Untertan stellte seinen Mädler-Koffer vor dem »Goldenen Adler« ab –, »die Nationalversammlung hat beschlossen:

§ 1 1. Alle Herrscherrechte und sonstigen Vorrechte des Hauses Habsburg-Lothringen sowie aller Mitglieder dieses Hauses sind in Österreich für *immerwährende* Zeiten aufgehoben.
2. Verträge über den Anfall von Herrscherrechten über das Gebiet der Republik Österreich sind ungültig.

§ 2 Im Interesse der Sicherheit der Republik werden der ehemalige Träger der Krone und die sonstigen Mitglieder des Hauses Habsburg-Lothringen, diese, soweit sie nicht auf ihre Mitgliedschaft zu diesem Hause und auf alle aus ihr gefolgerten Herrschaftsansprüche verzichtet und sich als getreue Staatsbürger der Republik bekannt haben, des Landes verwiesen …

§ 3 Der Gebrauch von Titeln und Ansprachen, die mit den Bestimmungen des § 1 in Widerspruch stehen, ist *verboten*. Eide, die dem Kaiser in seiner Eigenschaft als Staatsoberhaupt geleistet worden sind, sind unverbindlich.

§ 4 In der Republik Österreich ist jedes Privatfürstenrecht aufgehoben.«

Selbstverständlich vergaß die Nationalversammlung auch nicht, in einem fünften Paragraphen die »Republik Österreich« zur neuen Eigentümerin des »gesamten in ihrem Staatsgebiet befindlichen beweglichen und unbeweglichen hofärarischen Vermögens« zu erklären. Und da war ja nun wirklich einiges zu übernehmen – die vielen Alleen, Bureaus und Kanzleien, regenreichen Landschaften, Kronjuwelen, Hofautomobile, Schimmel, die Walzer tanzen konnten, Karossen, das Palais Belvedere, Schloß Schönbrunn, die Geheime Hofkanzlei am Ballhausplatz, in der der Wiener Kongreß getagt hatte, »Bundeskanzleramt« hieß sie jetzt, und natürlich auch die Hofburg – bestens ausgestattete Regierungsgebäude, in denen sich nun morganatische Untermieter, Bundespräsidenten und Bundeskanzler einzurichten begannen und neben dem kaiserlichen Geschirr auch eine Art neumodischer Herrschaft übernahmen. Alles in allem: ein sehr kompaktes Gesetz, dieses *Habsburgergesetz*, das den Nachfolgern der Donaumonarchen einen geregelten Hausstand bescherte und das als Verfassungsgesetz auch in den österreichischen Staatsvertrag von 1955 aufgenommen wurde und so von den Außenministern der *Siegermächte*, Rußland, Vereinigte Staaten von Amerika, Frankreich und England, wohlwollend signiert wurde.

Aber die Abendgesellschaft, die nun im »Goldenen Adler« von Feldkirch tafelte, schien von diesem Verfassungsgesetz keinerlei Notiz genommen zu haben. Zwischen

Mineralwasserflaschen, herben Weißweinen, Rehbraten und Sachertorten war alles heil und beim alten geblieben: Majestät hin, Majestät her, jawohl, Herr Baron, nein, Herr Baron, Ihre Durchlaucht ist nicht momentan, küß die Hand, Gnädigste, ein Hoch auf die Kaiserin! Ja da schau her, Feerdi, wie geht's, bist schon zurück? Nein, Baronesse, jawohl, faabelhaft, untertänigsten Dank. Keinerlei Notiz. Wie denn auch? War doch dieses Gesetz, das sich die Nationalversammlung nicht entblödet hatte zu formulieren, ebenso illegitim wie diese ganze sogenannte *Republik*.

»Jawohl, illegitim, ungesetzlich!« hatte Erich Feigl, Biograph und Vertrauter der Kaiserin Zita, zunächst einmal klargestellt, als der Untertan ihn in seiner Wiener Gemeindebauwohnung aufgesucht hatte. Der Gemeindebau, eine Zinskaserne, trug an der Außenmauer eine steinerne Erinnerungstafel für irgendeinen republikanischen Bürgermeister, für bürgerliche Bauherren, Stadträte und dergleichen, die sich wohl in das Beispiel der an Triumphbögen, Palästen und Prunkbauten angebrachten Gedenkinschriften kaiserlicher Bauherren vergafft hatten.

Herr Feigl war am Tisch einer sehr kleinen, sauberen und sehr weißen Küche gerade mit der Korrektur von Druckfahnen eines Buches über die Mönche von Athos beschäftigt gewesen und hatte sich dann vor dem Untertan in Eifer geredet: »Die Ausrufung der Republik war vollkommen ungesetzlich. Seine Majestät Kaiser Karl hat 1919 schließlich nur auf die Beteiligung an Regierungsgeschäften verzichtet, nicht aber auf den Thron! Notieren Sie das! Er hat niemals abgedankt! Und Kaiserin Zita ist eine gekrönte Königin – eine Krönung aber ist der Priesterweihe nachempfunden, und aus einer solchen Weihe gibt es keinen Rückzug! Alle Macht kommt von Gott; Kaiser von Gottes Gnaden! Verstehen Sie! Da ist nichts zurückzulegen und auf nichts zu verzichten. Aus der *lex aeterna* gibt es keinen Rückzug. Noch einen Schnaps?«

Herr Feigl war wirklich sehr freundlich gewesen, und seine Ausführungen waren ihm mehr und mehr zum Plädoyer geraten: »Habsburg *ist* das fähigste und führende Haus Europas und wird, gleichgültig in welcher Staatsform, nach einer Kette von schlimmen Erfahrungen mit Emporkömmlingen wieder an seinen rechtmäßigen Platz zurückkehren – den Platz an der Spitze, denn der ist in Österreich nach wie vor der Familie Habsburg vorbehalten. Und« – Herrn Feigls Rede war hinreißend gewesen – »glauben Sie mir, ich hätte nichts lieber als eine Kaiserkrönung im Dom zu Sankt Stephan ... Das Habsburgergesetz ist völlig irrelevant!«

»Schwadroon auufsitzen!« Prinz Willy von Thurn und Taxis stand auf dem Hotelparkplatz von Feldkirch und gab das Zeichen zum Aufbruch. Ein Frühlingsmorgen; hell und kühl. Der Prinz rief immer »Schwadroon auufsitzen!«, wenn die Reisegesellschaft nach einer Rast ihre Busse wieder bestieg. Vom Schloßberg zu Feldkirch glitt dünner Nebel. Oder kroch er hinauf?

Willy der Prinz war ein Anführer, der allen entsprach. Er kannte alle Burgen und Schlösser, die entlang der Reiseroute in die Landschaft ragten. Einmal fuhr er im ersten, dann wieder im zweiten Bus mit, man wechselte sich im Interesse der Ausgeglichenheit ab, er kannte auch die Bewohner der Schlösser und wurde nicht müde, ihre Familiengeschichten über die Lautsprecheranlage des Reisebusses zu verkünden. »Hier«, hatte er, nur ein Beispiel, irgendwo auf der Westautobahn nach Salzburg gesagt, »sehen Sie die Burg Seisenegg; dort lebt die Baronin von Riesenfels, leider in geistiger Umnachtung, taub und blind.« Ein anderes Mal wiederum, dreißig oder vierzig Kilometer westlich der verfallenen Burg Seisenegg, hatte der Prinz in die Landschaft gezeigt und war sehr, sehr stolz gewesen: »Und hier lag meine Schwadron in Reserve.« Ein fabelhafter Reiseleiter. Ihre Durchlaucht, ein älterer Herr im Steireranzug und mit sorgfältig zurechtgestutztem Schnurrbart, war schließlich nicht nur Nachkomme des fanatisch reisenden Grafen Hans Wilczek, sondern auch »Wiener Landesobmann« jener »Internationalen Paneuropa Union«, der Herr Erich Feigl als Bundesobmann und Ihre Kaiserliche Hoheit Otto von Habsburg, erstgeborenes von acht Kindern der Kaiserin Zita, als Präsident vorsaß. Ein prächtiger Verein, der unausgesetzt mit Wiederbelebungsversuchen an der alten Reichsidee der Donaumonarchie beschäftigt war. »Europa«, hatte Prinz Willy dem Untertan versichert, »Europa wird auf den Trümmern und der Asche der Alten Welt im Feuer des Heiligen Geistes wieder zusammengeschmolzen werden!« Das klang gut und schien nicht nur Untertanen zu überzeugen. Schließlich saßen im »Comité d'Honneur« dieses 1922 gegründeten Vereins auch Republikaner wie etwa der amtierende österreichische Bundespräsident oder der bayerische Ministerpräsident.

Daß Otto, der hohe Sohn Zitas und Präsident dieser Heiligen Geistgemeinde, sich mit republikanischen Querschädeln abgab, hatte den Untertan irritiert. Nicht genug, daß sich der Kronprinz und rechtmäßige Thronfolger Kaiser Karls im Mai 1961 dem fatalen Habsburgergesetz gebeugt und eine Thronverzichtserklärung et cetera unterschrieben hatte, nein, er geruhte im Jahre 1978 neben seiner österreichischen auch noch die deutsche, die deutsche! Staatsbürgerschaft anzunehmen. Sollte Otto denn tatsächlich jene Mahnung vergessen haben, die Joseph

Roth einen Grafen Chojnicki in seinem Roman *Die Kapuzinergruft* aufsagen ließ:

»Freilich sind es die Slowenen, die polnischen und ruthenischen Galizianer, die Kaftanjuden aus Boryslaw, die Pferdehändler aus der Bacska, die Moslems aus Sarajewo, die Maronibrater aus Mostar, die ›Gott erhalte‹ singen. Aber die deutschen Studenten aus Brünn und Eger, die Zahnärzte, Apotheker, Friseurgehilfen, Kunst-Photographen aus Linz, Graz, Knittelfeld, die Kröpfe aus den Alpentälern, sie alle singen die ›Wacht am Rhein‹. Österreich wird an dieser Nibelungentreue zugrunde gehn, meine Herren! Das Wesen Österreichs ist nicht Zentrum, sondern Peripherie. Österreich ist *nicht* in den Alpen zu finden. Gemsen gibt es dort und Edelweiß und Enzian, aber kaum eine Ahnung von einem Doppeladler...«

Sollte Otto diese Mahnung in den Wind geschlagen, weggewischt haben, ein bedeutungsloses Lamento? Die deutsche Staatsbürgerschaft! Sollte auch *Er* das Haus Österreich mit einer blinden Liebe zu Deutschland betrogen haben? Jenes glorreiche Haus, das nun so sprachlos und still in der Kapuzinergruft zu Wien lag und dort in 95 prunkvollen Sarkophagen und 36 eingemauerten Särgen die Auferstehung im Herrn erwartete. Die Kapuzinergruft! Jawohl, dort mußte jene *Heimat* liegen, die jedem wahrhaften Österreicher in die Kindheit schien: 145 Leichname, darunter zwölf Kaiser und sechzehn Kaiserinnen. Und das für nur zehn Schilling Eintritt. Besuchszeiten täglich von neun bis halb vier.

Ach Gott. Das dauerte heute wieder. Jetzt hatte Prinz Willy schon dreimal Schwaadroon undsoweiter gerufen, und immer noch waren die Reisenden damit beschäftigt, sich gegenseitig vor dem Hotelportal zu fotografieren.

Man hatte sich nach bestem Vermögen in festliche Kleider getan und war schon sehr schön. Denn heute war Dienstag. Heute sollte man vom Fürsten in Vaduz und dann endlich von der Kaiserin Zita zu Zizers empfangen werden. Was für ein Tag.

Aus der Anwesenheitsliste der Reisenden, der späteren Audienzlitanei, wehte ein altösterreichischer Hauch. Da zogen die Schäfchenwolken über Schönbrunn. Da loderten die Helmbüsche der kaiserlichen Garden. Da grüßte das ewige Österreich. Jahaa, das waren noch Namen! Oberst Ernst von Bittner-Buddenbrock bestieg mit seiner gnädigen Frau Roberta soeben den Bus. Maria Mercedes von Portele kam nach und hinter ihr Hofrat Withalm und Regierungsrat Schrenk, die Prinzessinnen von Thurn und Taxis und immer noch mehr Baroninnen und Barone drängten nach – die von Kirchner und der von Steeb, und da war auch Sally! Sally von Mailath-Pokorny, die Krael-Almwehr und der gute Csermöy-Schneidt und dann die in Samt und Leder gekleideten Chargierten der Burschenschaften und die Landsmannschaftsmänner der Karoliner, Josefiner und Maximilianer. Der Bus füllte sich langsam.

Natürlich stiegen auch viele Untertanen zu. Sie unterschieden sich kaum von der Herrschaft. Schon bei der Abfahrt vom Westbahnhof Wiens, als man ihm gütig einen vorläufig freigebliebenen Sitzplatz zugewiesen hatte, war der Untertan erstaunt gewesen, so viel billige Kleidung zu sehen. Kostüme und Anzüge, die offensichtlich schon bei zahllosen Audienzen getragen worden waren, Perlonhemden, synthetische Halstücher mit aus der Mode geratenen Mustern und borstige, ja zerschlissene Loden. Jetzt stieg zum Beispiel, immer eine der letzten, die Rotkreuzschwester a. D. Maria Thomaschitz in den Bus. Sie war sehr bescheiden gekleidet und tat dem Untertan leid; stets trug sie in mehreren Plastiksäcken ihre Geburtstagsgeschenke für die neunzigjährige Kaiserin mit sich – drei Flaschen Weißwein aus Gumpoldskirchen und eine Puppe im Häkelkleid, eine Hofdame.

Endlich war die Schwadron vollzählig. Die Abfahrt. Feldkirch blieb zurück. Ein Herr, der vereinbarungsgemäß erst an diesem Morgen zur Reisegesellschaft gestoßen war, hatte den Fensterplatz des Untertanen eingenommen und war dort noch schweigsam und fremd. Der Untertan saß nun auf einer Weinkiste im Mittelgang zwischen den Sitzreihen. Die Kiste war hart und unbequem. Prinz Willy saß neben dem Chauffeur und sprach ins Mikrophon. Er erzählte von den großen und schwierigen Zeiten in Tanger, von Tänzerinnen und einem marokkanischen Bergwerk, das ihm einmal als Geldquelle gedient hatte. Die Quelle mußte versiegt sein. Der Trachtenanzug Ihrer Durchlaucht war auch nicht mehr neu und Nordafrika weit.

Ein überaus freundlicher Maler namens Scheucher, ein Bürgerlicher, der auf einem der Polstersitze hoch über dem Untertan thronte, berichtete aus einem seiner früheren Leben. Er glaube an die Wiedergeburt. Er könne sich, manchmal sehr klar und manchmal nur schemenhaft, an das Renaissancegepränge am Hof Maximilians des Ersten erinnern, auch an Maria Theresia. Er habe da wie dort als Künstler gedient. Dann entrollte der Maler eine Lithographie, die er seiner Kaiserin als Geburtstagsgeschenk zugedacht hatte: Karl der Erste und Letzte als Märtyrer, als heiliger Sebastian an der Säule, durchbohrt von den Pfeilen einer grausamen Zeit.

Prinzessin Lore neigte sich einem Kaiserjäger a. D. aus Graz zu und beklagte die modernistischen Geschmacklosigkeiten einer *Parsifal*-Inszenierung. Ja, ja, Parsifal, sagte der Kaiserjäger, den kenne er. Er habe da selber einmal mitgespielt. Als Kreuzritter. Auf der Volksbühne in Graz. Sein Freund, ein Kirchendiener, wechselte der Kaiserjäger a. D. dann rasch das Thema, habe sich aus heiterem Himmel erhängt. »Ach wie traurig«, sagte die Prinzessin. »Ich werde für Ihren Freund beten und bin sicher, er wird nach einer kurzen Weile im Fegefeuer in die ewige Herrlichkeit eingehen.«

Der Untertan saß auf seiner Weinkiste und hörte demütig zu. Nein, das konnte nicht die Monarchie sein, was da sprach. So einträchtig waren dort Herren und Knechte niemals zusammengesessen. »Der Egoismus des Adels«, hatte Kronprinz Rudolf geschrieben, bevor er in Mayerling auf die Zukunft verzichtete, »der Egoismus des Adels führte die unaufhörlichen Kämpfe des Mittelalters, Armuth der Völker, Hemmung jeder Entwicklung herbei. Von diesem Augenblicke an hatte dieser Stand keine Aufgabe mehr, im Gegentheile, er war ein Fluch für die Menschheit ... Der Adelige bleibt dem Volke noch der Herr, während er Staatsbürger ist, wie jeder Bauer. Kommt einmal in diese gedrückte Nation ein Funken Wißens, lernen sie einmal alle diese Schlechtigkeiten, die ihnen und ihren Vorfahren angethan wurden, kennen, dann wird die thierische Demuth und Enthaltsamkeit in bestialische Wuth ausarten und die Rache und die Leidenschaft wird blutige Tage hervorrufen ... und was die Könige und Adeligen angestrebt, das Volk dumm zu erhalten, wird ihr eigenes Ende sein. Die Rache ist gut. Jahrhunderte haben die Hohen gräulich gehaust, die Zeit ist um, Blut fordert Blut ...«

Aber Kaiser Franz Joseph I. hatte den melancholischen Kronprinzen, seinen Sohn, der die Schönbrunner Politik für rückständig und blind hielt, allergnädigst nicht verstanden und ihn einen »gefährlichen Narren« genannt. Er hatte auch seine »geliebten Völker« nicht verstanden. Er verstand überhaupt nichts. Was wollten die? Es war doch schön. Und was die Apostolische Majestät nicht verstand, durfte nicht sein. Die Schriften des Kronprinzen wurden zensiert, konfisziert und verboten. Da saß er nun, der Kaiser, und ließ sich die Ohren zwischen Budapest und Berlin langziehen. So vernehmlich sich der Untergang seines Reiches auch ankündigte – Franz Joseph sah nichts und hörte nichts. Kaum ein Jahr auf dem Thron, den er 1848, im Erscheinungsjahr des *Kommunistischen Manifestes*, allerhöchst bestiegen hatte, ließ er die Anführer des ungarischen Volksaufstandes hinrichten, anstatt zu begreifen, was vorging. 1853 versuchte ihn der Ungar János Libényi zu erstechen. Franz Joseph verstand das nicht und ließ wohlwollend zu, daß zum Gedenken an das mit leichten Verletzungen überstandene Attentat die Wiener Votivkirche gemauert wurde. 1859 geruhte er, der sich schon immer als fescher Krieger gefallen hatte, in der Schlacht von Solferino den Oberbefehl höchstpersönlich zu übernehmen und richtete eines der größten Blutbäder der Donaumonarchie an. Eine Niederlage. Im gleichen Jahr schrieb Charles Darwin *On the Origin of Species*. Darwin? Wer war denn das? Was wollte der? Durfte er das überhaupt? Und dann 1866: Königgrätz. Eine Niederlage. Wieder nichts. Ein Jahr später wurde sein Bruder, Kaiser Maximilian von Mexiko, in Querétaro von Republikanern erschossen und seine Leiche über den Atlantik in die Kapuzinergruft heimgeholt. Wieso tat man seinem Hause das an? 1889, im Geburtsjahr Adolf Hitlers, legte Kronprinz Rudolf in Mayerling Hand an sich und verschwand. An seinem Sarg in der Kapuzinergruft sah man Franz Joseph, das erste und einzige Mal, daß es öffentlich geschah – weinen. Er konnte es nicht fassen. 1898, in

Genf, auf ihrem Weg vom Hotel »Beau Rivage« zum Dampferanlegesteg, wurde Elisabeth, seine Gemahlin, Kaiserin *Sisi*, die sich ein Leben lang auf Reisen befunden und ihn gemieden hatte, so gut es eben ging, von einem italienischen Anarchisten namens Luigi Luccheni mit einer Feile erstochen. »Mir bleibt doch gar nichts erspart auf dieser Welt« – Franz Josephs ratloser Kommentar ist überliefert. Als schließlich am 28. Juni des Jahres 1914, ausgerechnet an der Kreuzung zur Franz-Joseph-Straße von Sarajewo, der Erzherzog und Thronfolger Franz Ferdinand und Gemahlin Sophie von einem Serben namens Princip erschossen wurden, ging Franz Joseph nach kurzer Bestürzung über das entsprechende Telegramm wieder zur heillosen Tagesordnung über: »Und wie waren die Manöver?« Auch das ist überliefert. Einen Monat später, endlich, prangte sein legendäres »Manifest« an den Mauern und Litfaßsäulen des Reiches: »An meine Völker! ... Die Umtriebe eines haßerfüllten Gegners zwingen Mich, zur Wahrung der Ehre Meiner Monarchie, zum Schutze ihres Ansehens und ihrer Machtstellung, zur Sicherung ihres Besitzstandes nach langen Jahren des Friedens zum Schwerte zu greifen ... Immer höher lodert der Haß gegen Mich und Mein Haus empor ... Ich vertraue auf den Allmächtigen, daß er Meinen Waffen den Sieg verleihen werde.« Undsoweiter. Es war ein sehr schönes Manifest. Der Kaiser hatte es während eines Kuraufenthaltes in der prachtvollen Landschaft von Bad Ischl unterschrieben.

Das war der Anfang. Der Anfang vom Ende. Karl Kraus notierte: »Aus Prestigerücksichten hätte diese Monarchie längst Selbstmord begehen müssen«, und der Kaiser schrieb: »Mit ruhigem Gewissen betrete ich den Weg, den die Pflicht mir weist«, und der Erste Weltkrieg, *das* sollte die Welt sein?, begann. Am Ende des voll Pflichtbewußtsein beschrittenen Weges warteten zehn Millionen Tote, zwanzig Millionen Verwundete, sechs Millionen Gefangene, natürlich viel verlorene Ehre und die Verträge von Saint-Germain und Trianon, mit denen die Aufteilung der k.u.k. Donaumonarchie auf die republikanischen Nachfolgestaaten Österreich, Ungarn, Italien, Tschechoslowakei, Polen, Rumänien und Jugoslawien umsichtig geregelt wurde. Daß Kaiser Franz Joseph im November 1916, nach 86 Lebens- und 68 Regierungsjahren, umtost von der allgemeinen europäischen Pflichterfüllung, starb, war, vom Zustand des Reiches aus betrachtet, eine längst fällige Formsache. Der »Totenschau-Befund«, ausgestellt auf amtlichem Vordruck, klang danach:

Vor- und Zunamen: S. M. Kaiser Franz Joseph I.
»Letzter ständiger Wohnort: XIII. Bezirk, k.u.k. Lustschloß Schönbrunn
Berufszweig und Berufsstellung: Kaiser von Österreich, König von Ungarn et. etc.
Glaubensbekenntnis: Römisch-katholisch
Stand: Verwitwet
Zuständigkeitsgemeinde: Wien
Unmittelbare Todesursache nebst Angabe der etwaigen Grundkrankheit, aus welcher sich die unmittelbare Todesursache entwickelt hat: Herzschwäche nach Lungen- und Rippenfellentzündung
Ist zu beerdigen: In Kapuzinergruft
Überführung der Leiche: In die Burg
Gestorben 21. XI. 1916 um 9 Uhr 5' Abends
Wien, beschaut am 23. November 1916 um ½ 11 Uhr Vormittags.«

Ausgerechnet am Leichnam dieses tragischen Kaisers, dem die neuen Kleider niemals gepaßt hatten, dem überhaupt alles Neue stets als Torheit und »Wolkenkraxlerei« erschienen war, mußte ein trauernder Hofmedicus ein neuartiges Konservierungsverfahren auf Paraffinbasis erproben, das das Antlitz des aufgebahrten Monarchen bis zur Unkenntlichkeit entstellte. Bon.

Der siebenundzwanzigjährige Großneffe Franz Josephs, der ihm gemäß den Gesetzen der Pragmatischen Sanktion als *Karl der Erste* auf den einsturzgefährdeten Thron folgte, betrat eine brennende Bühne: der Protagonist eines Nachspiels. Er versuchte zu retten, was nicht mehr zu retten war, bemühte sich bei den feindlichen Westmächten vergeblich um einen Separatfrieden für Österreich, schlug sich mit deutschnationalen und sozialdemokratischen Untertanen herum, die heftig einen Anschluß an Deutschland verlangten und sich zu ihrem großen Bedauern dann doch noch bis zum Jahr der Heimholung 1938 gedulden mußten, und floh schließlich schon im dritten Jahr seiner Regierung, im März 1919, vor den »Übergriffen des Pöbels«, wie die Kaiserin ihrem Biographen, Herrn Feigl, die Umstände dieser Flucht viel später auseinandersetzen sollte, mit Kindern und Gemahlin Zita in die Schweiz. Zwei Jahre später unternahm er von dort aus zwei ebenso unbeholfene wie erfolglose Restaurationsversuche, begab sich spektakulär per Flugzeug und bereitstehender Lokomotive nach Ungarn, um, vorerst wenigstens, auf seinem Budapester Thron wieder Platz zu nehmen, aber man nahm keine entsprechende Notiz mehr von ihm, schickte ihn wieder zurück und verbannte ihn schließlich samt seiner Familie in den Atlantischen Ozean. Auf die Insel Madeira.

Dort, in Funchal, umgeben von Kamelienblüten, Oleandergebüsch und der Pracht einer vulkanischen Landschaft, starb er, ein Fünfunddreißigjähriger, am 1. April des Jahres 1922 in den Armen seiner Gemahlin an Grippe und wurde in der Kirche von Nossa Senhora do Monte zu Grabe getragen. Die Kapuzinergruft blieb ihm vorerst verschlossen. Die Kaiserin habe »namenlos verschreckte Augen gemacht«, schrieb Franziska Kral, geborene Mold, Hebamme und Betreuerin der kaiserlichen Kinder, über den Todestag Karls in ihr Tagebuch, habe dem Sterbenden noch stundenlang ins Ohr geflüstert und dann »Karl, was fang' ich an alleine« gesagt.

In einem *Interview*, so hieß das jetzt, das die kaiserliche Witwe Jahrzehnte später einmal mehr dem Herrn Feigl gewährte und das auf Verlangen des republikanischen Publikums vom österreichischen Fernsehen in fünfmaliger Wiederholung ausgestrahlt wurde, erinnerte sich die hohe Frau auch an die letzten Tage von Schönbrunn: Eine völlige Leere habe um das Schloß herum geherrscht, eine Hellebarde habe so verlassen in der Halle gelehnt, weil die Wachen nach Hause, einfach nach Hause gegangen seien, und ein Herr aus Böhmen sei mit einem Gewehr unter seiner Lederjoppe ins Schloß gekommen und habe seine Hilfe angeboten. Vergeblich.

Nach dem Tod Karls fuhr die nun stets schwarzgekleidete Zita wieder übers Meer, begab sich nach Spanien, lebte dort eine Zeitlang im Schloß von El Pardo, brach wieder auf, reiste durch ein freundliches Amerika, immer das herausgeschnittene Herz ihres Gemahls wohlverwahrt im Gepäck, hielt vor einer größeren Damengesellschaft in Washington eine hinreißende Rede, besuchte Roosevelt, den Präsidenten, bemühte sich um Brot und Verständnis für Österreich und kehrte schließlich wieder in die

Schweiz zurück, nahm seit 1964 im Johannesstift von Zizers bei Chur Quartier, wurde dort von Benediktinerinnen und der Aja und Gräfin Schmising-Kerssenbrock sorgsam betreut und betete viel.

»Ach Gott, was die Arme alles hat durchmachen müssen«, seufzte man im Reisebus immer, wenn die bedauernde Rede, was sehr oft geschah, auf *Sie* kam. Der Untertan pflichtete dem stets bei, jawohl, die Arme, viel habe Sie durchmachen müssen. Auf dem Weg von Feldkirch nach Vaduz war man programmgemäß im Schloß Hohenems abgestiegen. Ein dort anwesender Graf teilte der Reisegesellschaft stolz mit, daß das flexible Faltdach des Schloßhofes PVC-beschichtet, daß in diesem Schloß das Nibelungenlied entstanden und die Rückwand des Hofes nur eine von Architekturmalerei über und über bedeckte Mauer sei, eine Attrappe; dahinter nichts als der blanke Fels. »Herrlich«, sagte die Reisegesellschaft, »wunderbar, fabelhaft.« Ja, und Familiengeschichten erzählte er auch, der Graf, verästelte, lange Familiengeschichten. Im luxuriös ausgestatteten Schloß herrschte Gruftkälte.

Vaduz war eigentlich nicht der Rede wert. Gut, das Schloß war ganz schön, hoch und ruhig gelegen, Bergblick, aber Buffet gab es keines. Der Fürst ließ sich zunächst entschuldigen (»Regierungsgeschäfte«) und zeigte sich dann doch. Vielleicht hatte er das später bereut. Denn nun stand er eingekeilt zwischen begeisterten Reisenden, gab Autogramme, drückte da und dort auch weiche Hände, jeder, jeder wollte mit *Ihm* fotografiert werden, ein regierender Fürst!, zudem posierte man einzeln, in Gruppen und Grüppchen vor den Portalen, auf den Balkonen, in Nischen und mußte von Hofschranzen um Mäßigung gebeten werden.

»Sehen Sie sich um«, rief Prinz Willy, »sehen Sie sich gut in diesem blühenden, herrlichen Liechtenstein um und denken Sie daran, wie schön es unter etwas geänderten Verhältnissen auch bei uns aussehen könnte. Der Fürst ist ein Monarch, wie er sein sollte; er lebe hoch! Hoch! «

»Hoch!« riefen die Reisenden zurück.

»Ach«, sagte der Fürst, »das Land hier ist klein, die Leute sind ruhig, das Wetter wird schön bleiben, wohin geht denn die Reise? Alles Gute, auf Wiedersehen.«

Ergriffen verabschiedete man sich und erstand, wieder unten, beim Volk von Vaduz, im Souvenirladen »Graf Andrassy« Ansichtskarten, Bonbons, emaillierte Abzeichen für den Hut und silberne Kettchen. Und wieder gab der Prinz das Zeichen zum Aufbruch. Und dann, plötzlich, begann die Zeit schneller zu laufen. Man flog geradezu über das Land; die Felswände des Rätikon, das Graubündener Rheintal – eine steinerne Allee, ein rasend durchmessener Windkanal. Denn nun wartete *Sie*.

Vor der Schweizerischen Kantonalbank in Chur blühten zur Zeit der Ankunft die Goldregensträucher. Magnolienbäume ragten aus den Vorgärten in einen Himmel, dessen Blau wolkenlos war. Aber wer fand jetzt noch Zeit, auf das Blau des Himmels und auf Blüten zu achten? Nur noch eine Mittagsstunde trennte die Reisegesellschaft von *Ihr*.

Im Bus glitten die Kämme durchs Haar, blinkten die Handspiegel und klirrten Accessoires: Geschenkpapier raschelte. Und dann wurde es still. Der Bus stand vor dem Johannesstift in der Sonne. Rot-weiß-rot gestrichene Fensterläden, eine Kapelle, ein Turm, eine schwarzgekleidete Nonne, Bäume.

»Ich beschwöre Sie«, rief Prinz Willy in das Schweigen hinein, »bleiben Sie im Bus sitzen und warten Sie, bis ich Sie holen werde! Und um Gottes willen, reden Sie vor

Ihrer Majestät nur, wenn Sie gefragt werden, und ja keine Bitten um Autogramme! Ihre Majestät die Kaiserin sieht schon sehr schlecht, aber das sei ihr mit neunzig gestattet. Und bewahren Sie unbedingt ab-so-lu-te Ruhe!«

Der Prinz verließ den Bus. Der Untertan folgte ihm, und ihm wieder folgten neidische Blicke; er war privilegiert; er hatte sich im Umgang mit dem Tonbandgerät des Prinzen als geschickt erwiesen und durfte ihn nun begleiten. Jedes Wort der Kaiserin sollte magnetisch festgehalten werden. Aber dann bedeutete der Prinz seinem Vasallen, an der Pforte zu warten, und verschwand eilig im Aufzug des Stiftes. Burschenschafter, zwei von ihnen bemerkenswert dick, warteten auch an der Pforte; es war die schweizerische Delegation. »Ach bitte«, wandte sich nun eine Nonne an den Untertan, »könnten Sie mir die Flügeltür auftun?« Auch das geschah. Die Tür gab den Blick in den Audienzraum frei. Ein gepolsterter Stuhl in der Mitte – war das ein Thron? Ebensolche Stühle standen doch auch die Wände entlang –, ein Gabentisch, Blumen. Helle Sonnenstreifen fielen lang über das Parkett. Jetzt brachte der Aufzug den Prinzen wieder zurück zu den Wartenden. Nervös eilte er zum parkenden Bus, um die Audienzgesellschaft zu holen. Der Untertan stand an der geöffneten Flügeltür stramm.

Und dann ging eine alte Frau durch die Arkaden. Schwarz gekleidet, stützte sie sich auf zwei Stöcke und wirkte dennoch behende. Zwei Nonnen und ein Priester begleiteten sie. Das mußte die Kaiserin sein. Der Untertan verneigte sich tief. Die eben angetretene Gesellschaft war wie verzaubert. Ein Flüstern, ein Verneigen, ein ehrfürchtiges Staunen. Die Kaiserin!

Lächelnd nahm die alte Frau auf dem Polsterstuhl Platz. Burschenschafter mit Fahnen und Säbeln postierten sich im Halbkreis um den Thron. Prinz Willy trat vor, sagte etwas sehr Feierliches und strich dann die Audienzliste glatt. Er war jetzt ganz Zeremonienmeister: »Baroon und Baroonin ...«, es folgten die jeweiligen Namen, Zeichen für die Betroffenen, ebenfalls aus der Reihe und vor den Thron zu treten, sich zu verneigen oder niederzuknien, Glückwünsche zu entbieten und allfällige Geschenke zu überreichen – die Schimmel der Spanischen Hofreitschule in Porzellan waren dabei, Süßigkeiten vom Wiener k.k. Hof-Zuckerbäcker Demel, Lilien, Rosen und Veilchen aus Parma.

»Ach, wunderschön! Danke, danke, ich danke Ihnen«, sagte die Greisin immer wieder, und der Untertan, der mit Tonband und Kamera behängt, nur wenige Schritte vom Gratulationszeremoniell entfernt kniete, hörte zum erstenmal, wie höfische Konversation zu klingen hatte. Es lag eine bemerkenswerte Verbindlichkeit in diesem Tonfall, eine liebenswürdige Melodie, die von oben kam und die Gesellschaft in die Knie zwang: »Ich danke Ihnen vielmals! Danke! Schöne Grüße an zu Hause, grüßen Sie mir die Heimat!« Die Heimat. Ach, wie lange hatte *Sie* diese Heimat, die so nah und unerreichbar hinter den Feldkircher Grenzbalken lag, nicht mehr betreten. 63 Jahre waren das nun. Seit 63 Jahren verbot das Habsburgergesetz der Monarchin die Einreise, weil sie, eine Märtyrerin, sich standhaft geweigert hatte, die von ihr verlangte Verzichtserklärung zu unterzeichnen. Otto – ja, Otto hatte sich gebeugt und den verräterischen Verzicht geleistet und in Wien auch schon wieder mehrmals für heftige Debatten gesorgt. Otto hatte sich eben schon immer zu helfen gewußt und sein schwarzgelbes Fähnchen in den europäischen Wind gehängt. Aber Zita hatte niemals vergessen, was sie ihrem auf Madeira ruhenden Gemahl schuldig war. Sie hatte auf nichts verzichtet.

Während nun die Audienz ihren Fortgang nahm, vortreten, verbeugen, abtreten, danke, begann sich aber in der Heimat bereits jene Entwicklung abzuzeichnen, die schließlich von der langsamen Heimkehr der Monarchin gekrönt werden sollte. Denn neben anderen Freunden der *Casa de Austria* hatte sich mittlerweile auch der spanische König Juan Carlos bei Bundeskanzler Kreisky eindrucksvoll für Zita verwendet. Der König hatte seine Fürbitten auf Mallorca, der Ferienresidenz des Kanzlers, vorgebracht, und Kreisky hatte versprochen, sich um eine »menschliche Lösung« für Zita zu bemühen. *Er*, daran konnte nun kein Zweifel mehr bestehen, würde Gnade vor Recht ergehen lassen. Die Ereignisse jedenfalls, die sich nach der Vorsprache des spanischen Königs beim Kanzler zu überstürzen begannen, hätte noch im Audienzraum des Johannesstiftes, in dem nach wie vor Gratulant für Gratulant auf die Knie sank, kaum jemand für wahrscheinlich gehalten; eine fabelhafte Prophezeiung, hätte man vielleicht gesagt. Und doch sollte alles geschehen: Drei Tage nach ihrem neunzigsten Geburtstag wird Zita Mitte Mai des Jahres 1982 die österreichische Grenze bei Feldkirch mit einem spanischen Paß und im Fond eines Wagens mit französischem Kennzeichen passieren. Sie wird sich unverzüglich nach Tirol, zum Grab ihrer an primärchronischer Polyarthritis verstorbenen ältesten Tochter Adelhaid begeben, dort beten und von der zu Grab und Friedhof gehörenden Tiroler Gemeinde Tulfes respektvoll empfangen werden. Sie wird dann rasch zurückkehren, in die Schweiz, um noch im August desselben Jahres wiederzukommen, diesmal für länger, wird auf Schloß Waldstein nördlich von Graz bei ihrer jüngsten Tochter Elisabeth, Gemahlin eines Prinzen

Heinrich von Liechtenstein, Quartier nehmen, österreichische Fernseh- und Radioreporter werden sich ebenso heftig wie erfolgreich mehrmals um die Greisin bemühen, im Verlauf eines langen Radiointerviews wird man die immer noch Schwarzgekleidete »um Vergebung« bitten, weil das Habsburgergesetz die Anrede »Ihre Majestät« verbiete und nur ein schlichtes »Gnädige Frau« gestatte. Sie wird lächeln und vergeben, wird kurz darauf zum großen Wallfahrtsort der Donaumonarchie, zur Heiligen Jungfrau nach Mariazell pilgern und dort von Tausenden Menschen in die Basilika geleitet werden. So wird es September werden und Herbst in der Heimat, und endlich wird auch eine unübersehbare Flut von Leitartikeln, Kommentaren und Titelgeschichten über die alte Frau erscheinen, regierende Republikaner werden ihrer Befriedigung Ausdruck verleihen, die Kolumnisten werden fast ausnahmslos »den Fortschritt im politischen Bewußtsein des Landes« loben und die »Reife der Republik« und die »erfreuliche Entwicklung«, der Untertan wird viele Zeitungsausschnitte sammeln, und ein wichtiger Herr namens Chorherr wird in der österreichischen Tageszeitung *Die Presse* das glückliche Ende des »Habsburgerkannibalismus« beklatschen. Mußte man in Wien denn noch immer gleich ans Fressen denken? Die Kaiserin war wieder da. Was wollte man mehr?

Lange vor diesen denkwürdigen Ereignissen hatte der Untertan den Sektionschef und Doktor und Professor Ludwig Adamovich im österreichischen Bundeskanzleramt besucht, der sich dort an leitender Stelle mit Verfassungsfragen beschäftigte. Die Einreiseerlaubnis für Zita sei ein Zeichen des republikanischen Selbstbewußtseins, hatte Adamovich seinem Besucher erklärt, der eben das schöne Ölporträt einer Erzherzogin von Österreich an der Wand der Kanzlei bewunderte; man fürchte sich längst nicht mehr vor der Vergangenheit, die Monarchie sei hierzulande innenpolitisch und staatspolitisch völlig bedeutungslos und kein ernstzunehmendes Problem mehr. Aber Zitas Österreichbesuch betreffend, war Adamovich fortgefahren, gebe es aus dem Jahre 1980 eine Entscheidung des Verwaltungsgerichtshofes, die – als Handhabe sozusagen gegen allfällige Einwände der Signatarstaaten des Staatsvertrages, der ja die Beibehaltung des Habsburgergesetzes gebiete – folgende juristische Interpretation gestatte: Gemäß der Pragmatischen Sanktion sei Zita niemals zur Thronfolge berechtigt gewesen, sie habe also immer nur der Familie, nicht aber dem thronfolgeberechtigten Haus Habsburg angehört und könne somit auch unmöglich auf etwas verzichten, was ihr ohnedies nie zugestanden hätte. Die Republik Österreich könne sich demnach erlauben, auf Zitas Thronverzichtserklärung zu verzichten, sie formlos einreisen zu lassen und ihre Landesverweisung für gegenstandslos zu erklären. Aber natürlich, hatte Adamovich gesagt, sei eine solche Interpretation mit Vorsicht zu behandeln und: »Sie soll kommen. Sie ist keine Gefahr. Aber selbstverständlich wäre es uns nicht recht, wenn sie sich hier ansiedeln würde und ihre Anhänger dann jeden Tag mit dem Tomahawk in der Hand um sie herumtanzen würden, das ist klar.«

Prinz Willy kam allmählich ans Ende seiner Liste. »Frau Maria Thomaschitz«, kündigte er nun schon nicht mehr ganz so feierlich an, und die Rotkreuzschwester a. D. trat vor. Sie kniete nieder, breitete ihre Plastiksäcke vor der Kaiserin aus und reichte ihr zuerst die Puppe und dann die Weinflaschen empor. Der Prinz war nervös. »Wie lieb«, sagte die Kaiserin, »was für eine schöne Puppe, ich danke Ihnen, ich freue mich so.« Die Rotkreuzschwester a. D. verlor sich nun ganz in der Erfüllung ihres Traumes; unfähig weiterzusprechen, erhob sie sich, wandte sich ab und schluchzte. Und dann trat, klobig und steif, der Kaiserjäger vor seine Monarchin und holte tief Luft: »Ihre Majestät, ich wünsche Ihnen von Herzen ...«, und dann schluchzte auch er. Die Audienz war beendet.

Nun stieg man die Treppen zur Kapelle hoch, zum Dankgottesdienst. Die Kaiserin fuhr mit dem Aufzug. Die Burschenschafter nahmen hinter dem Altartisch Aufstellung. Die Prinzessinnen von Thurn und Taxis trugen Schleier. Prinz Willy bat den Allmächtigen laut und inbrünstig, er möge das Haus Habsburg wieder stark werden lassen. Dann folgte eine lange Predigt. Die Kaiserin saß still in ihrem Betstuhl und wurde nur einmal gestört, als sie im Verlauf einer Fahnenweihe den Saum des schwarz-goldenen, mit dem Doppeladler bestickten Tuches berühren mußte. Der Untertan fingerte erfolglos am Tonbandgerät herum. Es funktionierte nicht. Am Schluß der Messe, der Höhepunkt, erhob man sich und sang, Schulter an Schulter, die Kaiserhymne. »Volkshymne« stand auf den Textzetteln, die des großen Andranges wegen in nur ungenügendem Ausmaß an die Kirchgänger verteilt worden waren. Der Untertan bemerkte bereits im Fortgang der zweiten Strophe eine erstaunliche Asynchronität zwischen den Lippenbewegungen der Sänger und dem vorschriftsmäßigen Text. Sollten die Herrschaften ihr Lied vergessen haben? Erst am Ende der letzten Strophe stellte sich die Erinnerung wieder ungebrochen und fehlerlos ein: »Laßt uns eins in Brüderbanden gleichem Ziel entgegengehn. Heil dem Kaiser! Heil dem Lande! Österreich wird ewig stehn!«

Wie jäh dann alles zu Ende war. Noch ein paar aufgeregte Gruppenbilder mit Kaiserin vor dem Stift, ein paar kurze Reden. »Auch über den Lombarden«, rief Prinz

Willy, »die jetzt noch unter dem italienischen Joche ächzen, wird einst die Sonne des Hauses Habsburg wieder aufgehen!«

Dann bestieg man den Bus und kam erst in Chur allmählich wieder zu sich.

»Auf Wiedersehen.« Der Untertan nahm seinen Koffer unter einigen erstaunten Blicken aus dem Gepäckraum des Reisebusses. Wie hatte sich doch Kaiser Franz Joseph stets zu verabschieden geruht, weil einmal einer seiner Untertanen sich eines zu knappen Abschiedsgrußes wegen in Ungnade gefallen glaubte und Selbstmord begangen hatte? Ach ja: »Es war sehr schön. Es hat mich sehr gefreut.« Also dann.

Die Straßen von Chur waren geradezu schamlos belebt. So viel Gegenwart: »Hast du Feuer? ... Wo geht's 'n hier zum Bahnhof?« Der Untertan war vor einem Zeitungsleser auf einer Parkbank stehengeblieben.

»Geradeaus über die Brücke, immer geradeaus und dann links; ich wünsche Ihnen gute Reise.«

Ihnen? Hatte der Typ tatsächlich *Ihnen* gesagt? Ach so. Der Untertan zog sich die Krawatte vom Hals und stopfte sie in die Rocktasche, öffnete den Kragenknopf, fuhr sich mit der Hand durchs Haar und stellte wenigstens dort das gewohnte Aussehen wieder her. Im Bahnhofsrestaurant von Chur bestellte er das Menü Nummer drei. Es war das billigste. Die Wände des Lokals waren noch sehr neu und mit Ruinenmauern bemalt. In einem Kamin glommen ein paar Glühbirnen, die mit rotem Krepp verkleidet waren. An der Theke wurde gebrüllt. Die Kellnerin sprach italienisch. Das Wetter schien tatsächlich schön zu bleiben.

»Politik«, sagte Friedrich Heer, der Historiker Österreichs, sehr leise und machte eine längere Pause, bevor er weitersprach, »... Politik ist Umgang mit Verwundeten. Die Politik der Donaumonarchie hätte demnach ein behutsamer Umgang mit zutiefst verwundeten Völkern sein müssen.«

Friedrich Heer war sehr abgemagert und blaß. Der Untertan saß ihm gegenüber, ein helles Zimmer, eine langgezogene Bücherwand, ein niedriger Tisch und zwei Fauteuils, und wagte nicht, sich eine Zigarette anzuzünden.

»Ich sitze hier mit meiner Endkrankheit«, sagte der Historiker jetzt, »ich lebe in diesem Zimmer von Bluttransfusion zu Bluttransfusion, und jedes Gespräch, das ich noch führen kann, ist Lebensmittel für mich. Der Zusammenbruch der Donaumonarchie, haben Sie gesagt? Hier gibt es für mich keine Zweifel. Ich wurde als Untertan Kaiser Franz Josephs, des Herzogs von Auschwitz, geboren, und ich bin zu dem Schluß gekommen, daß dieser unselige Kaiser, dieser ungeheuerliche Diktator und in jeder Weise geistig und seelisch impotente, kleinwüchsige und lebensfeige Mensch, die durchaus umbaufähige Monarchie zugrunde gerichtet hat. Er hat es nicht verstanden, einen Ausgleich zwischen seinen verwundeten Völkern herbeizuführen; er war geblendet von jenem Deutschlandbild, das in Österreich durch die Jahrhunderte gewirkt hat und immer noch wirkt. Eine *Imagination*, verstehen Sie?, ein Bild, das es in der Wirklichkeit nie, nie gegeben hat. Der deutsche Bündnispartner war doch ebenso irreal wie das Deutschland der Dichter und Denker – ein Trugbild, eine Lüge, die innerhalb der Donaumonarchie nicht zuletzt zu einer Hierarchie der Nationalitäten geführt hat. Dieses Trugbild war ein wesentlicher Angelpunkt des Untergangs und hat schließlich bis zu Hitler und über ihn hinausgereicht. Aber das haben die Neandertaler, die mieseste und dumpfeste Reaktion, die nach 1945 hierzulande die Schulen und Universitäten übernommen haben, natürlich nie verstanden. Der Großteil meiner Arbeiten ist ja nicht zufällig in Deutschland erschienen – es waren Tropfen, Tränen der Wiedergutmachung zur Überwindung des erfolgreichsten Österreichers des zwanzigsten Jahrhunderts; schon die Offiziere um diese Unglücksmenschen Karl und Zita haben an ein ähnliches Deutschland geglaubt wie Hitler ... ich bin jetzt sehr müde. Sie müssen mir beim Aufstehen helfen.«

Der Untertan griff dem Historiker unter die Achseln und zog ihn hoch. Er war sehr leicht.

»Gehen kann ich noch alleine.«

Der Weg zur Wohnungstür war lang. Es war früher Nachmittag, als der Untertan Heers Wohnung verließ. Es war August. Die Zeitungen waren voll von Berichten über die heimgekehrte Kaiserin, Spekulationen über eine nun möglich scheinende Überführung Kaiser Karls in die Kapuzinergruft und über den Fortgang seines Heiligsprechungsprozesses, um den sich eine »Gebetsliga für den Weltfrieden« seit Jahren bemühte. Führende Politiker des Landes erklärten, sie hätten nunmehr nichts gegen eine Bestattung Karls in der Kapuzinergruft einzuwenden. Auf Tote sei das Habsburgergesetz schließlich auch nicht anwendbar. In den Auslagenfenstern des Café Demel am Kohlmarkt schwebte ein Space-Shuttle-Modell aus Marzipan; auch eine dreistöckige Geburtstagstorte war ausgestellt, daneben eine Fotografie Kaiser Franz Josephs: geboren am 18. August 1830. Um diese Zeit fanden sich noch jedes Jahr ein paar hundert Gratulanten in der Kapuzinerkirche ein, sangen dort »Gott erhalte«, stiegen dann laut betend in die Gruft hinab, tauchten erschüttert wieder auf und begaben sich schließlich unter den Klängen des Radetzkymarsches zum Denkmal Franz Josephs in den Burggarten. Das würde auch heuer so sein. Der Eingang zur Gruft am Neuen Markt lag schon im Schatten, als der Untertan ankam. Er drückte den Klingelknopf, zweimal, dreimal.

»Sie wünschen?«

Der Pförtner, ein großgewachsener, leicht vornübergebeugter Mann, schien keine rechte Freude mehr mit Besuchern zu haben; es war bald halb vier. »Ich will in die Kapuzinergruft.«

»Mein Herr!« sagte der Pförtner streng, »das heißt nicht Kapuzinergruft, sondern Die Kaisergruft bei den Kapuzinern in Wien. Dies nur, damit Sie wissen, woran Sie sind; aber bitte, treten Sie ein.«

(1985)

Die Königin von Polen

Eine politische Wallfahrt

Brüderchen, wir haben Eile! Fahre! Fahre!« Pater Edward. Lipiec richtet seinen Blick wieder auf die Überholspur. Rosig und rund glänzt sein Gesicht über dem Kragen eines schwarzen Ledermantels. Gehorsam läßt der Fahrer den Fuß am Gaspedal schwerer werden; die Beschleunigung drückt die beiden Männer sanft in ihre Sitze: ein längst bedeutungslos gewordenes Fallbeispiel für das im Übermaß bewiesene Gesetz der Trägheit.

Eine Geschwindigkeit von hundertsechzig Stundenkilometern verzaubert die von Löwenzahn dicht durchwachsenen Wiesen entlang jener Autobahn, die von Wien in Richtung Graz nach Süden führt, zu grün-gold gestreiften Flächen, die den Blickwinkel einer geradeaus gerichteten Aufmerksamkeit begrenzen. Langgezogene Pappelalleen verdichten sich zu spröden Wänden, gegen die ein schwerer, frühsommerlicher Regen fällt.

Mühsam dreht sich Pater Lipiec nach einem Stapel gefalteter Papierbögen um, der auf der Rückbank des Wagens umgekippt ist und die Form einer achtlos abgelegten Ziehharmonika angenommen hat. Lipiec zieht einen Bogen heraus und setzt sich wieder in Fahrtrichtung zurecht. Das schwach nach Spiritus riechende Blatt Papier ist mit dem polnischen Wortlaut von vier Marienliedern blaßblau bedruckt.

Lipiec blickt wieder auf seine Armbanduhr. Er muß die Lieder in spätestens dreißig Minuten an die vor der katholischen Pfarrkirche in der niederösterreichischen Gemeinde Altenmarkt wartenden polnischen Brüder und Schwestern verteilen. Man erwartet ihn sehr. Der Regen kommt jetzt schräg von vorne und klatscht im unregelmäßigen Rhythmus der Böen gegen die Windschutzscheibe. Es ist ein Samstagnachmittag im Mai. Marienmonat.

»Gut! Sehr gut! Krzysztof heißt du also« – Pater Lipiec hatte den außerordentlich christlichen Vornamen des Fahrers gleich ins Polnische übersetzt, als dieser sich ihm vor noch nicht einmal zwei Stunden als Berichterstatter im Auftrag irgendeiner Zeitschrift vorgestellt hatte. Der Name der Zeitschrift war dem Priester rasch wieder undeutlich geworden, und nach drei, vier Sätzen hatte er ihn vergessen; aber Krzysztof! Das war etwas anderes; schließlich habe dieser Name einmal »Christusträger« bedeutet. Der Fahrer war sehr höflich und Pater Lipiec sehr sicher in der holzgetäfelten Sakristei der Wiener Gardekirche zu Ehren des gekreuzigten Heilands gestanden. Ein mittlerweile in Vergessenheit geratener Barockarchitekt, der sich Nikolaus Pacassi nannte, hatte diese Kirche am Rennweg vor den Gärten des Palais Belvedere erbaut, und Kaiser Franz Joseph hatte den Kuppelbau schließlich seinen polnischen Untertanen überlassen. Die Polen sollten auch etwas haben vom Leben. Und sei es nur vom jenseitigen.

Er freue sich über seinen Besuch, hatte Pater Lipiec dem Fahrer unter dem Ölbild eines schmunzelnden Papstes Johannes Paul II. alias Karol Wojtyla gesagt, und als der Besucher dann auch noch erklärte, er sei wegen der Schwarzen Madonna von Czenstochau und der Heiligen Maria überhaupt gekommen, hatte Pater Lipiec gleich noch einen polnischen Namen für ihn bereit: »Braciszek.« Brüderchen.

Krzysztof Braciszek hält mit unverminderter Geschwindigkeit auf das niederösterreichische Hügelland zu. Er chauffiert einen Hirten zum Einsatz. Das vom Lärm des Motors, dem Hin und Her der Scheibenwischer und sichtbehindernden Wasserfahnen gestörte Gespräch zwischen Lipiec und Braciszek führt ohne Umschweife über Krakau nach Czenstochau. Westpolen.

Nach wenigen Gesprächsminuten war klar, daß Pater Lipiec vor dreizehn Jahren von Karol Wojtyla, damals noch Metropolit von Krakau, höchstpersönlich zum Priester geweiht wurde; daß die Solidarność gegenüber eingeschleusten Kommunisten zu unvorsichtig gewesen sei und die Parteizeitung *Trybuna Ludu* eine »große, große Scheiße«. Die Russenfreunde, die das polnische Volk beherrschten, seien »hungrig« nach ihm, dem Diener Gottes, Mariens und Polens; er habe in seinen Predigten schließlich nie ein Hehl daraus gemacht, daß er den Kommunismus für eine Art Bestialismus halte.

Sechzehnmal ist er schon zur Schwarzen Madonna gepilgert, zu *Ihr*. Sechzehnmal ist er in Czenstochau gewesen, der wahren und wirklichen Hauptstadt Polens.

»Fanfarenmusik, Brüderchen! Und Chöre! Du mußt diese wunderbare Musik einmal gehört haben! Du hörst sie immer, wenn in der Basilika von Jasna Góra in Czenstochau das Bild unserer Madonna enthüllt wird; zweimal am Tag bekommst du *Sie* für ein paar Stunden zu Gesicht. Und dann weinen die Pilger. Die Pilger! An manchen Tagen kommen dreihunderttausend zu Ihr. Und Millionen im Jahr. Was für eine Kraft, Brüderchen!«

Was Braciszek im gleichmäßigen Laufgeräusch des Motors zunächst für eine melodische Nebenerscheinung gehalten hat, ist plötzlich Pater Lipiec, der nach den richtigen Tönen sucht. Und dann ist der Pater mitten im lauten Singen. Er hat das Fenster spaltbreit geöffnet. Regenwasser sprüht ins Wageninnere. Maria sei seit langem Polens Königin, singt Pater Lipiec und überstimmt das Rauschen und Dröhnen der Fahrt: »Z dawna Polski Tyś Królową, Maryjo!« Maria solle die ganze Nation in *Ihre* Obhut nehmen, denn diese Nation lebe nur für *Ihren* Ruhm: »Miej w opiece naród caly – Który zyje dla Twej chwaly!« Lipiec singt. Braciszek fährt.

Abrupt wendet sich der Pater wieder dem Fahrer zu: »Die Madonna wird uns helfen. Sie hat uns immer geholfen; gegen die Schweden, gegen die Mächte, die Polen geteilt haben, und auch gegen die Bolschewisten. Noch gibt es in Polen einen General Jaruzelski, aber die Madonna gibt es auch. Und *Sie* wird länger bleiben.«

»Und wie wird sie euch helfen? Was wird sie tun?« Braciszek zweifelt.

»Das ist noch ein Geheimnis, Brüderchen. Ein großes Geheimnis. Aber *Sie* wird uns helfen, verstehst du? Sie ist unsere einzige Hoffnung.«

Eine langgezogene Wasserlache. Während der rauschenden Durchfahrt an der Grenze der Schleudergefahr nimmt Braciszek den Fuß vom Gaspedal. Das jähe Nachlassen des Schubs drängt in ihm die Erinnerung an ein ähnliches Gefühl im Flugzeug nach oben. Augenblicke später liegt die Wasserlache in einer wirbelnden Wolke hinter ihnen, und Braciszek denkt ans Fliegen.

Nach dem Aufstieg in eine Höhe von 8000 Metern hat eine Iljuschin-Linienmaschine der polnischen Fluggesellschaft LOT oder auch eine Douglas der Austrian Airlines die obersten Schichten der Troposphäre und damit die

Flughöhe der Route Wien–Warschau erreicht. Abgesehen von vereinzelten Eiswolken und weitaus höher treibenden Perlmuttwolken ist der Himmel hier oben zumeist leer. Nicht zuletzt, um den allfälligen, zerstörerischen Widersprüchen vorzubeugen, die zwischen dieser tiefblauen Leere und der überlieferten christlichen Vorstellung eines von strahlenden Heerscharen und Engelchören durchflogenen Himmels aufbrechen könnten, sprach der glühende Marienverehrer Papst Pius XII. in seinem Dogma von der *leiblichen* Aufnahme der Heiligen Jungfrau Maria in die ewige Herrlichkeit, nicht mehr von der bis dahin sprach- und erlösungsüblichen »Aufnahme in den Himmel«, sondern vorsichtig nur mehr von der »Aufnahme in die himmlische Glorie«. Das Paradies über den Wolken konnte nicht das richtige sein.

Die Apostolische Konstitution »Munificentissimus Deus«, mit der am 1. November des Jahres 1950 jene unbezweifelbare, weil kirchenamtliche Wahrheit der leiblichen Himmelfahrt Mariens in Kraft trat, sollte allerdings die vorläufig letzte aller bislang verkündeten zwingenden Wahrheiten des Vatikans bleiben. Die glorreiche Jungfrau, ohnedies bereits geschützt vom Kokon einer Handvoll Dogmen, war nun auch noch befreit von den lästigen Fragen nach den raumzeitlichen Koordinaten ihres Verbleibs und wurde so wieder in die Kirchen- und Weltgeschichte entlassen. Und dort geht sie um wie keine andere Himmlische. Wer konnte sich schließlich besser zur Tröstung einer sterblichen und verstörten Menschheit eignen als eine Unschuldige, die das Paradies mit Seele *und* Leib erreicht hatte?

»Die meisten Polen«, wird Pater Lipiec auf dem windverblasenen Friedhof vor der Altenmarkter Kirche zu Braciszek sagen, »vertrauen der Schwarzen Madonna mehr als den Russenfreunden.« Und dann, in der von polnischen Flüchtlingen dicht besetzten Kirche, wird Lipiec einen Hirtenbrief Józef Glemps, Primas von Polen, verlesen: »Schwestern und Brüder! ... So wie eine gute Hausfrau, die ihr Brot bäckt, in den Ofen schaut, um zu prüfen, ob der Teig schon aufgegangen ist, so prüft auch die Heilige Jungfrau unser Gelübde, das wir ihr gegeben haben, und unsere Hingebung, die gebacken wird in den Mühsalen und Schmerzen der Nation ...«

Lipiec schweigt. Die hochfrequenten Vibrationen des Motors pflanzen sich über das Lenkgestänge in Braciszeks Arme fort und verlieren sich irgendwo oberhalb des Ellbogens. Braciszek fliegt.

Der Flug Wien–Warschau, nordnordost durch den Himmel und die Zone der Westwinde, dauert 55 Minuten. Ein Linienticket zweiter Klasse kostet zwar knapp das Siebenfache einer Bahnfahrt über die gleiche Distanz im »Chopin-Express«, erspart dem Reisenden aber zumindest die Belästigungen tschechischer Grenzer, die mit ihren langwierigen Paß- und Gepäckkontrollen, barschen Verhören und schließlich der fallweisen Demontage des Waggonmobiliars ihren realsozialistischen Beitrag zum tristen Höhepunkt einer fünfzehnstündigen Bahnfahrt leisten.

Nach dem vom steten Rückenwind kaum beeinträchtigten Überfliegen der Niederen und Hohen Tatra in den Westkarpaten und der tschechisch-polnischen Grenze, die unsichtbar zwischen tertiären Auffaltungen verläuft, breitet sich unter den Passagieren flach und grün das Land der Schwarzen Madonna aus: Polen liegt zwischen dem 49. und 54. Grad nördlicher Breite und dem 14. und 24. Grad östlicher Länge; der erst in den Haufenwolken unterhalb der Routenflughöhe wieder spürbar werdende Übergang vom westeuropäischen Seeklima zum kontinentalen Klima

Osteuropas läßt die mittlere Jahrestemperatur nur zwischen sechs und neun Grad Celsius schwanken. Wer die Lage dieses Landes innerhalb der geographischen Grenzen Europas bestimmen will, der verbinde den südlichsten Punkt der europäischen Landkarte, das sizilianische Capo Passero, mit dem Nordkap der skandinavischen Halbinsel und sodann den Punkt des äußersten Westens, das portugiesische Cabo da Roca, mit dem des äußersten Ostens, dem sowjetrussischen Swerdlowsk im Ural. Die beiden Linien werden sich im Zentrum Polens, nordwestlich von Lódź, kreuzen.

Aber was schert es Europa, daß sein Diagonalschnittpunkt in Polen liegt, wenn dort eine uniformierte Zentrifugalkraft Hunderttausende Unzufriedener aus dem Land schleudert? Unmöglich auch, die Exotik dieses Landes bei den Wisenten und Luchsen des Urwaldgebietes Puszcza Bialowieska oder den Wölfen und Bären des Bieszczady-Gebirges zu suchen, solange dieses Land zwar zu mehr als einem Viertel von Nadelwäldern bedeckt ist, aber kein Holz, kein Papier und keine Möbel für seine Bewohner mehr bereitstellen kann. Ein Land, von dem die Statistiker behaupten, es wäre auf zwei Dritteln seiner Ausdehnung landwirtschaftlich genützt, in dessen Lebensmittelläden aber gegenwärtig ein lakonisches »Nie ma – Gibt's nicht« zu den meisterteilten Bescheiden der Nachfrage gehört. Was nützen schließlich auch 9300 Seen und eine fast 700 Kilometer lange Küstenlinie, wenn auf den Märkten auch die Fische so rar wie die Freunde geworden sind, die ein tragischer General namens Jaruzelski unter seinen Landsleuten so mühsam sucht? Ein Leserbrief vom Marienmonat Mai, der an *Zycie Warszawy*, die größte Tageszeitung des Landes, geschrieben wurde, enthält die Klage darüber, daß nirgendwo mehr weiße Hemden und schon gar keine

Schuhe für bevorstehende Hochzeiten vorrätig oder käuflich seien. Ein Schriftsteller gibt in der gleichen Rubrik bekannt, daß er des völligen Papiermangels wegen schon vor Monaten aufgehört habe zu schreiben. Größte Bestürzung kolportiert aber erst eine Korrespondentenmeldung aus Warschau: Zahllose Kinder seien in diesem Jahr in Pantoffeln und Turnschuhen zur Ersten Heiligen Kommunion erschienen, weil auch für die gehörigen weißen Sandalen und feineres Schuhwerk ein ausnahmsloses »Nie ma« gegolten habe. Keine Schuhe für den Gang zur Ersten Heiligen Kommunion! Und das in einem Land, in dem etwa 34 Millionen Menschen der römisch-katholischen Kirche angehören. Polen hat knapp 36 Millionen Einwohner.

Aus der Flughöhe betrachtet, ebenso unsichtbar wie die Linie der Staatsgrenze, liegt über den 803 Städten und 2070 Landgemeinden der 49 Woiwodschaften Polens auch, und gerade im Marienmonat, noch eine Art Schnee vom vorigen Dezember: »Stan wojenny – Der Kriegszustand.«

»Standkrieg« nennt Pater Lipiec diesen ebenso dehnbaren wie haltbaren Zustand des Rechts und unterbricht nach einer Frage Braciszeks sein Schweigen nur kurz: »Natürlich beten die Polen gegen diesen Standkrieg zur Madonna; Polen gehört schließlich *Ihr.*«

O Maria, hilf! Sie beten. Sie beten unter der Anleitung von fast 70 Bischöfen, 16000 Priestern, 14000 Mönchen und 28000 Ordensschwestern in den 14000 Kirchen und Kapellen des Landes. Das Kriegsrecht, in Anwendungsfällen auch das Tränengas, treibt immer noch mehr Hilfsbedürftige in die Kirchen. Schließlich werden dort nicht bloß die Tröstungen des Evangeliums, sondern auch Kleidung, Nahrungsmittel, Emigrationshilfe und Westkontakte angeboten. Es bedarf keines Wunders mehr, um einen Parteigänger in einen Kirchgänger zu verwandeln. Nach den schwer überprüfbaren, aber glaubwürdige Proportionen spiegelnden Zahlen, die das Warschauer Freidenkerorgan *Argumenty* im Dezember 1981 seinem Publikum übergab, sind 76 Prozent der polnischen Städter und 83 Prozent der Landbewohner mittlerweile *praktizierende* Katholiken. Der Anteil der Gläubigen habe sich unter den Wehrpflichtigen auf 90 Prozent und unter den Offizieren auf 55 Prozent erhöht. Die Kirche zeige sich in einer noch nie dagewesenen Stärke.

Braciszek setzt seinen Flug fort.

Angenommen, unter den Passagieren der Linienmaschine nach Warschau befände sich ein nach Czenstochau reisender Pilger, der sich während des Fluges nach der Residenz der Schwarzen Madonna erkundigte, dann würde ihm im günstigsten Servicefall zwischen Krakau und Radom eine hundert Kilometer lange Luftlinie westlich in den Dunst gewiesen: »Czenstochau, mein Herr, liegt dort.«

Dem Pilger sei geraten, nach der Landung und der überstandenen Prüfung seiner Harmlosigkeit auf dem Warschauer Flughafen Okęcie mindestens fünf US-Dollar bereitzuhalten: Die Taxichauffeure erklären sich nur gegen diese oder gleich starke Westwährungen bereit, einen Transport ins Stadtinnere zu übernehmen. Zum Hotel »Europejski« beispielsweise, das an der durchaus melodisch auszusprechenden Krakowskie Przedmieście liegt. In unmittelbarer Nachbarschaft der Warschauer Militärkommandantur wird der Pilger dort unter Umständen den Ausblick auf das Grabmal des Unbekannten Soldaten vor dem Sachsengarten genießen können und im übrigen überrascht feststellen, daß in den Korridoren des Mittelklassehotels Prostituierte auf Kundschaft warten.

Nach einer standhaft verbrachten Nacht wird sich der

Pilger zum gläsernen Bahnhof Warszawa Centralna begeben. Bei Regenwetter hätte er dort äußerst achtzugeben, um auf dem nassen, hochschlüpfrigen Marmorfußboden der Bahnhofshalle nicht auszugleiten. Bei Schlechtwetter kommen auf diesem Terrain schwere Stürze regelmäßig vor, und der Pilger würde womöglich unter Schmerzen schließlich in die Gnadenkapelle der Basilika von Czenstochau humpeln. Abgesehen davon, daß in Polen auch an Medikamenten und brauchbaren Rollstühlen Mangel herrscht, sind für Czenstochau die etwa aus Lourdes bekannten Krankenbahrenreihen und Rollstuhlkarawanen der auf ein Wunder hoffenden Bedauernswerten völlig untypisch. »Brancardiers«, hauptberufliche Krankenträger, wie in Lourdes oder Fatima, gibt es dort nicht, geht es doch in Czenstochau weniger um das persönliche Heil als vielmehr um das der polnischen Nation.

So gewarnt, wird der Pilger den Marmorboden betreten und seine Fahrkarte nach dem Nationalheiligtum endlich in Zlotys bezahlen. Er hätte natürlich auch die Möglichkeit, sich einer ebenso beliebten wie bekämpften polnischen Sitte zu bedienen – ohne Fahrkarte einzusteigen und den Schaffner mit einer erheblich unter dem Fahrpreis liegenden Privatspende zu entschädigen. Aber der Pilger wird den Eilzug ohne Sünde, nach einer vielleicht planmäßigen, dreieinhalbstündigen Reise in einem Industriebahnhof verlassen: Czenstochau.

Czenstochau oder »Tschenstochau«, wie die Verdeutschung den Zischlaut des polnischen »Częstochowa« bequemer zu machen sucht, wird in der Liste der größten Städte Polens erst an dreizehnter Stelle geführt: 228 000 Einwohner, eine gutbürgerliche, von ausgedehnten Industriegebieten der Textil-, Metall- und Baumaterialienbranche bedrängte Altstadt, ansonsten die üblichen Anhäufungen von Wohnsilos im europäischen Industriemaßstab, Beton und Rauch, alles wie gewohnt, nichts Besonderes. Diese Stadt läge ebenso im verborgenen wie, nur ein Beispiel, das weitaus größere Bydgoszcz (wer kennt schon Bydgoszcz?), wenn sie nicht von diesem Kalksteinhügel »Jasna Góra«, dem »Klaren«, auch »Lichten Berg«, überragt würde. In einem immer wieder zerstörten und immer wieder aufgebauten Kloster leben dort oben seit nunmehr 600 Jahren weißgekleidete Mönche des Paulinerordens, eine von der polnischen Steuerbehörde als Privatunternehmen geführte Männergesellschaft, die einen gewissen Paulus von Theben, Ägypter und Eremit, der bis zum Jahr des Herrn 347 in der thebanischen Wüste lebte, zu ihrem Patron und Vorbild erhoben hat.

Seit dem denkwürdigen 31. August des Jahres 1384 hüten die Paulinermönche in ihrem Kloster ein Geschenk, das der hohe Wladyslaw Opolczyk alias Ladislaus von Oppeln, Herzog und Statthalter von Ruthenien, ihnen damals, zwei Jahre nach der Klostergründung auf Jasna Góra, überlassen hatte: ein Bild, das der von Opolczyk seinerseits aus den Händen seines Lehensherrn, König Ludwig I. von Ungarn, kniefällig entgegengenommen hatte. Herr Ludwig war Jahre zuvor von einer italienischen Reise, einem Beutezug vermutlich, glücklich zurückgekehrt und hatte das Bild in seinem Gepäck mitgeführt: eine auf Lindenholzbretter geklebte Leinwand, 122 Zentimeter hoch und 82 Zentimeter breit; sie wurde von einem bislang unidentifizierten, aber vermutlich süditalienischen Maler in Harztempera unter Verwendung einer »enkaustisch« genannten Technik, die den Auftrag der mit Wachs verschmolzenen Farben mit erhitzten Bronzespachteln vorschreibt, mit Lasuren in terra di Siena bemalt. Simone Martini hat es getan, sagen die einen; Pietro Cavallini aus

Siena war es, sagen andere; keiner von beiden sei es gewesen, heißt es auch. Es ist ein schönes Bild.

Sanft, ja traurig blickt daraus eine junge Frau, die in einen dunkelblauen, mit den goldenen Lilien des Hauses Anjou bestickten Kapuzenmantel gehüllt ist; die Verbrämung des Mantels in Blattgold. Auf ihrem linken Arm trägt die Schöne einen in ein langes, besticktes Hemd von dunkelroter Mischfarbe gekleideten Knaben. Angewinkelt hält er seine Rechte hoch zum Zeichen des Sieges, in seiner Linken ein Buch. Über die rechte Wange der Frau verlaufen, fast parallel, zwei Narben zum Hals: Säbelspuren eines lang verjährten Zorns, in den während des Osterfestes 1430 der böhmischen Hussitenbewegung nahestehende Landsknechte verfallen waren, als im Kloster keine Beute zu machen war. Die Narben, eine kleinere kreuzt die beiden anderen, wurden im Verlauf mehrerer Übermalungen des Antlitzes durch verschiedene Meisterschulen mit zinnoberroten Pinselstrichen immer wieder erneuert. Die Schändung sollte verziehen, aber nicht vergessen werden. Fein geschwungen die Augenbrauen, eine schmale Nase, der Mädchenmund: Das Gesicht der Frau ist dunkel; geschwärzt vom Rauch jahrhundertelang brennender Kerzen oder gemäß der Absicht des Malers – darüber werden Fachgespräche geführt. Der Schwarzen Madonna von Czenstochau ist es gleich.

»Aber sie werden dich nicht zu *Ihr* lassen«, beschließt Pater Lipiec seine Ausführung über ein politisches Wunder, das die Madonna vor mehr als dreihundert Jahren erwirkt haben soll. »Oder haben sie dir ein Visum gegeben?«

Braciszek hätte die Ausfahrt in Richtung Altenmarkt beinahe übersehen. Die beiden haben die Geradlinigkeit der Autobahn hinter sich und fahren jetzt über die Dörfer.

Der Regen fällt in gleichmäßigen Schnüren. Die Böen haben aufgehört. Pater Lipiec kennt die Schwierigkeiten der Einreise nach Polen ebenso wie die der Ausreise und die damit verbundenen persönlichen Katastrophen. Schließlich erfüllt Lipiec mit seinen drei Mitbrüdern in der polnischen Kirche am Wiener Rennweg für Tausende von Emigranten auch die Funktion einer Anlaufstelle und Flüchtlingshilfeorganisation. Braciszek hatte den Palmsonntag in und um diese Kirche herum verbracht und war schon Gassen entfernt ins Gedränge gekommen. Überall Polen. Dicht umdrängt die Informationstische der Solidarność vor dem Kirchenportal: neueste Nachrichten, Zeitschriften, Plaketten, Transparente. Der schmiedeeiserne Zaun vor der Kirche gespickt mit Zetteln und Papierröllchen. Hier bietet einer seinen »Polski Fiat«, für den er in Polen das Dreißig- bis Vierzigfache eines durchschnittlichen Monatsgehaltes bezahlen mußte, zu Schleuderpreisen an, dort sind es Rückflugtickets nach Warschau, die abgestoßen werden wollen. Man fragt nach dem Verbleib von Freunden, sucht Arbeit, Wohnmöglichkeiten, Mitfahrgelegenheiten, Kleidung, bietet als Gegenwert Bücher an, Zigaretten, Schwerarbeit. Und spießt alles auf die Spitzen des Zauns, klebt es an die Außenmauer der Kirche, an die Dachrinne, hinterläßt es und geht – in die Kirche.

Drei Gottesdienste an diesem Tag. Dicht gedrängt stehen die Polen bis hinaus auf die Straße, wo das Gebet und der Chorgesang wieder übergehen in das Gerede von draußen, und eingekeilt in der Menge kniet ein Priester und nimmt Beichten ab, eine nach der anderen, verfügt Bußgebete und spricht kraft des Allmächtigen von Sünden los. Vor dem Hochaltar wird gleichzeitig die Leidensgeschichte des Herrn und Erlösers, nach den Worten des Evangelisten Matthäus, mit auf den Kirchenchor verteilten

Rollen vorgetragen. In einem Nebengebäude werden kostenlose Mahlzeiten gereicht. Der die Messe zelebrierende Priester verkündet nach seiner Predigt, daß anstelle der für Emigranten zumeist unmöglichen Wallfahrten nach Czenstochau Ersatzwallfahrten nach Lourdes und Mariazell organisiert würden. Am 20. Mai nach Mariazell. Im Juni nach Lourdes.

»Sie werden dich nicht zu *Ihr* lassen«, wiederholt Pater Lipiec nur noch halblaut. Aber Braciszek hat ohnedies seine Erfahrungen. Im Warten auf seine Einreisegenehmigung für Polen hat Braciszek die Magnolienbäume im vornehmen Villenviertel Hietzing, das die polnische Botschaft in Wien umgibt, aufblühen und wieder verblühen sehen. Schneegestöber bei seinem ersten Besuch in der Botschaft, einem von Polizisten und Edelhölzern umstandenen Herrenhaus, und bei seinem letzten Besuch, erst vor ein paar Tagen, war die Jahreszeit bereits so weit fortgeschritten, daß die Sicherheitsbeamten vor dem Tor ebensogut in Badehosen hätten Wache schieben können. In der Zwischenzeit hatte Braciszek sogar Gelegenheit, Details zu studieren, die Rauchgewohnheiten des polnischen Presseattachés beispielsweise, eines äußerst zuvorkommenden jungen Herrn namens Ryszard Nosek, dem es sichtlich peinlich war, immer wieder abschlägige Visabescheide erteilen zu müssen: Er rauchte preisgünstige »Hobby Filter« im diplomatischen Alltag und die Clubformate von »Kent« und »Marlboro« zu festlicheren Anlässen. Wenn etwa im polnischen Kulturinstitut der Vortrag eines Warschauer Universitätsadjunkten zur Lage der Sozialwissenschaften zu verfolgen war. Der Adjunkt begründete in der anschließenden Diskussion bei Wodka und Juice überzeugend, daß der Austritt aus der Kommunistischen Partei Polens ein schwerwiegender Denkfehler wäre. Ein gutes Dutzend

Leute waren zu diesem Vortrag an einem lauen Maiabend erschienen, zur Hälfte allerdings Journalisten, die am kalten Buffet ihre kleinen Chancen einzuschätzen versuchten, doch noch rechtzeitig, bevor sich der Dieselgeruch der Panzerfahrzeuge dort wieder verflüchtigen konnte, nach Polen zu kommen.

Braciszek hatte mittlerweile aber auch gelernt, im Verhältnis zwischen den leeren Reihen des Kulturinstitutes, der gedämpften, eleganten Atmosphäre eines Hietzinger Herrenhauses und einer berstend vollen Kirche am Rennweg eine fundamentale Proportion der polnischen Wirklichkeit wiederzuerkennen. Während dieser Lernprozesse war Braciszek schon nahe daran gewesen, die Pläne des Papstes auch für die seinen zu halten. Schließlich versuchte der Papst in diesen Tagen ja auch, eine Wallfahrt nach Czenstochau zur Feier des sechshundertjährigen Bestandsjubiläums der Pauliner zu planen. An der raschen Aufeinanderfolge der An- und Absagen dieser für den August angesetzten Papstreise, an diesem Gewirr von Hoffnungen und Dementis aus Rom, in dem sich die jeweiligen Lockerungen und Straffungen des Kriegsrechts, die Maidemonstrationen, neuerliche Verhaftungswellen, ja, die Ereignisse in Polen überhaupt spiegelten, glaubte Braciszek auch die wechselnde Wahrscheinlichkeit seiner eigenen Wallfahrt ablesen zu können.

Er wäre zwischendurch sogar bereit gewesen, die polnische Erde ebenso zu küssen, wie es der darin routiniertere Papst schon zu Beginn seiner Polenwallfahrt im Juni 1979, gleich nach dem Verlassen der Alitalia Boeing 727 »Città di Bergamo« auf der Warschauer Flugpiste, getan hatte. Die polnische Erde! Auch wenn sie schon damals nur aus Braun- und Bleicherden bestand und zudem unter einem Betonmantel verborgen lag, konnte man sie nach dem Kuß des Papstes doch sehr vernehmlich, und in den Kasernen ebenso wie in den Kirchen, knirschen hören. Die Tabernakel, die Altäre, die Meßkelche: alles voll Erde. Hatte der Papst, der den Gläubigen am besten als »Sohn Polens« gefiel, doch auf seiner Pilgerschaft durch das Land kaum eine Gelegenheit versäumt, die polnische Kirche an eine ihrer vornehmsten Aufgaben zu erinnern: die Bewahrung der polnischen, katholischen Nation, der tausendjährigen Erde Polens, zum höheren Ruhm der Schwarzen Madonna.

»Du mußt nicht erst nach Czenstochau fahren; die Schwarze Madonna findest du überall«, spricht Pater Lipiec noch einmal der allgegenwärtigen Jungfrau das Wort, zwei Kilometer vor Altenmarkt. Ein umgestürzter Traktor neben der Straße, darauf Hühner.

Braciszek nickt. Er hat die Agenturbilder der Schwarzen Madonna gesehen. Zuerst auf den Transparenten der Solidarność, später an den Rockaufschlägen der Internierten.

Nachdem die streikenden Arbeiter von Danzig im August 1980 die Tore ihrer Werften mit dem Bild der Madonna versiegelt hatten, tat der greise Primas von Polen, Stefan Wyszyński, acht Monate bevor man ihn in einem hellen Eichensarg über den Warschauer Siegesplatz tragen sollte, wozu die Explosivität der polnischen Gegenwart die Kirche insgesamt verurteilt hat: Aus Czenstochau predigte er den Arbeitern Vernunft und Mäßigung – der Kopf befinde sich schließlich *über* dem Herzen und nicht unter ihm. Die störrische Antwort aus den Fabriken ist mittlerweile Legende: »Aber die Madonna streikt!«

»Aber nein, Brüderchen«, verbessert Lipiec seinen Fahrer. »*Sie* wirkt nicht nur in Polen. *Sie* ist überall, wo Polen sind!«

Die Zahl der Polen entlang der österreichischen Seelsorgerouten, die von den vier polnischen Priestern der

Wiener Gardekirche befahren werden, sei schwer zu schätzen: Die hochbeschäftigten Vertreter der »Polenhilfe«, eines Dachverbandes von neun verschiedenen Hilfsorganisationen, hatten ihre Schätzungen stets mit geläufigen Absicherungsfloskeln eingeleitet und dann Zahlen zwischen 60 000 und 70 000 genannt. Allein in Wien müßten es mehr als 20 000 sein. Nur der geringste Teil der polnischen Emigranten habe allerdings bislang versucht, sich den, ohnedies armseligen, Rechtsstatus eines Flüchtlings gemäß der Genfer Konvention von 1951 überzustreifen.

In einem etwas abgelegenen, aber sonnigen Arbeitszimmer des österreichischen Innenministeriums hatte man Braciszek die neuesten Zahlenkolonnen des Marienmonats gezeigt, und Braciszek hatte sich schwitzend die Gesamtsumme der in Österreich auf 600 »Unterbringungsstätten« verteilten polnischen »Asylanten« notiert: 16 867. Alle anderen, so lautete der Beamtenkommentar dazu, seien »rechtlich Fremde«.

Aber in die Kirchen kommen sie doch. Dort verrauchen die Rechtsunterschiede. »Katholisch sind sie alle! Gott sei Dank.« Auf seiner Samstagsroute ist Pater Lipiec meistens guter Laune. Sie ist die unbeschwerlichste von allen: Beichte, Messe und Predigt in Altenmarkt, dann knapp dreißig Kilometer nach Traiskirchen, zum größten österreichischen Flüchtlingslager, dort Beichte, Messe und Predigt, und dann auch schon wieder zurück nach Wien. Dort Beichte und Andacht.

Verglichen mit der Route vom Dienstag beispielsweise ist das eine Beiläufigkeit. Am Dienstag treibt es den Hirten bis weit ins Steirische hinunter, und auch die drei Mitbrüder, vierzig bis fünfzig Emigrantengemeinden hat jeder zu versorgen, reisen bis ins Salzkammergut, hinterlassen dort die Frohbotschaft, Predigten, Briefe aus Übersee, Nachrichten aus Polen und manchmal auch Geld. Es ist ein ständiges Hin und Her zwischen den Kirchen, ein Trösten, ein Ermahnen und ein Segnen. Zweimal auf seiner Fahrt mit Braciszek hat Pater Lipiec schon von einem Porsche geträumt, der ihm seine vielen Wege schneller machen würde. Aber dann fällt ihm etwas viel Wichtigeres ein: »Der Weg nach Czenstochau ist ganz anders. Dorthin geht man zu Fuß.«

Zu Fuß. Acht Tage lang. 270 Kilometer. Von Warschau nach Czenstochau. An jedem 6. August eines Jahres bricht aus Warschau eine Prozession auf, die schließlich zu einer Länge von fünf oder sechs Kilometern anwächst. 40 000 bis 50 000 Menschen gehen unter nahezu ständigem Beten und Singen über das Land. Hölzerne Panjewagen und offene Lastautos, auf denen zumeist die Priester und Gebrechlichen sitzen, fahren nebenher. Man schläft im Freien und ißt, was man in Proviantsäcken mitträgt oder in den Dörfern und Städten, die man durchzieht, in Lódź etwa und Piotrków Trybunalski, geschenkt bekommt. Dort brennen Kerzen in den Fenstern und vor blumengeschmückten Bildern der Schwarzen Madonna und des Papstes. Das Land entlang des Prozessionsweges schließt sich zum begeisterten Spalier. Beichten am Straßenrand. Messen. Zwischen Gebeten und Litaneien will man Predigten hören. Freie Themenwahl. Zur Frage des in Polen legalen Schwangerschaftsabbruches etwa. Da wird den Pilgern über die neben Fahnen und Kreuzen mitgetragenen Megaphone auseinandergesetzt, daß die Legalisierung nicht vor der Todsünde schütze. In stets wechselnden Formen bewegt sich die Prozession vorwärts; einmal als dichte, breite Menge und dann wieder feingliedrig, langgezogen; manche Pilger gehen nur stundenlang, andere tagelang mit und bleiben dann zurück, andere kommen dazu. Man weicht nicht aus, wer vorbei will, muß durch.

Es ist längst nicht die einzige Großwallfahrt Polens, aber es ist die zu Ehren der Himmelfahrt Mariens. *Das Fest.* Es wird am 15. August gefeiert. Am Vortag, am neunten Tag der Prozession, endlich, erreichen die Pilger Czenstochau. Der 106 Meter hohe Klosterturm von Jasna Góra. Das blaue Marienbanner. Die weißrote Flagge Polens, die weißgelbe des Vatikans. In Czenstochau ist alles Empfang.

Das letzte Wegstück: eine Lindenbaumallee vom Plac Nowotki zum Kloster hinauf, die »Allee der Allerheiligsten Jungfrau«. Die Hitlerdeutschen waren die einzigen geblieben, die den Namen dieser Allee jemals zu ändern wagten: »Adolf Hitler Allee«; die Lindenbäume hatten kurz, aber schwer an diesem Namen getragen.

Am Ende der Allee, auf den Wiesen, dem einen großen Platz vor dem Kloster, erreicht die Prozession ihre größte Ausdehnung; eine hunderttausendköpfige Menschenmenge. Sie stehen, knien und liegen vor dem Kloster. Die Erschöpfung.

»Szcześć Boze! - Gott helfe dir!« Jetzt sind sie angekommen; der Ordensgeneral der Pauliner, im August dieses Jahres hieße er Konstancjusz Kunz, grüßt sie zurück. Eine Predigt. Beichtgespräche entlang der Klostermauern. Der große Gottesdienst im Freien. Und von dort allmählich der Strom durch die Tore, Portale, über Festungsgräben und zwei Brücken in die Basilika. Aber was ist der barocke Prunk der Kirche jetzt, man will zu *Ihr.* Und dann, in der von Kerzenflammen strahlenden Seitenkapelle des Kirchenschiffs, auf einem dunklen Altar aus silberbeschlagenem Eichen- und Ebenholz, bedeckt von einem Festkleid aus getriebenem Gold, Smaragden, Saphiren und

Diamanten und geschmückt mit den Perlen und Korallenschnüren der polnischen Frauen, *Sie*.

Acht Tage sind sie gegangen. Jetzt liegen sie vor *Ihr*, die Stirn auf den schwarzen Marmorsteinen aus Debnik und den weißen aus Kielce; die Arme ausgebreitet, beschreiben sie mit ihren Körpern Kreuze auf dem Boden und weinen.

»Vielleicht werden Sie diese Erschütterung nicht verstehen«, hatte Wladyslaw Dymny, Rektor der Wiener Polenkirche, in seinem Empfangszimmer zu Braciszek gesagt und Wein nachgeschenkt, »aber diese Erschütterung *ist* Polen.«

»Aber warum gerade die Schwarze Madonna?« Braciszek hatte vorsichtshalber zurückgefragt; einige Antworten glaubte er bereits aus seinen Flüchtlingsgesprächen zu kennen. »Warum findet dieses Polen so sehr in Czenstochau und nicht vor den Madonnen von Kalwaria, Piekary Śląskie oder Skalmierzyce statt?«

Rektor Dymny hatte ihm eine Zigarette angeboten und ihn auf die Geschichte der polnischen Nation verwiesen. Aber Braciszek dachte an die Gegenwart: In ihrer Wochenendausgabe vom 15. und 16. Mai 1982 veröffentlichte die Warschauer Tageszeitung *Zycie Warszawy* einen Bericht unter dem Titel »Verurteilung wegen Entweihung einer Figur der Gottesmutter«: Dank des raschen Eingreifens der Miliz sei am Abend des 13. Mai der achtunddreißigjährige Ingenieur Witold Z., Angestellter eines Tarnówer Konstruktionsbüros, verhaftet worden. Witold Z. habe gestanden, um 22 Uhr 30, in betrunkenem Zustand, eine Figur der Gottesmutter zerstört zu haben. Das Regionalgericht in Tarnów habe das Urteil in einem Schnellverfahren am 14. Mai, zwölf Stunden nach der Tat, gefällt: Zehn Monate Gefängnis für Witold Z. Das Urteil sei noch nicht rechtskräftig.

Natürlich hatte Braciszek Mitleid mit dem armen Witold Z. Irgendwie konnte er ihn ja verstehen: Die Versorgungslage hatte sich zwar da und dort gebessert, dafür waren aber die Preise so gestiegen, daß bereits ein Fünftel der ausgegebenen Lebensmittelkarten unbeansprucht blieb, weil man die zugewiesenen Rationen einfach nicht mehr bezahlen konnte. Eine Halbliterflasche Wodka kostete auf dem Schwarzmarkt, und nur dort war sie überhaupt erhältlich, bereits über tausend Zloty. Das durchschnittliche Einkommen belief sich nur auf das Sechs- bis Siebenfache, und soviel Braciszek über die polnischen Trinkgewohnheiten wußte, konnte ein achtunddreißigjähriger Ingenieur unmöglich schon von einer Flasche betrunken gewesen sein. Der Arme mußte also einen sehr beträchtlichen Teil seiner Einkünfte versoffen haben, bevor er der Heiligen Jungfrau Gewalt angetan hatte. Die Internierungslager waren ja auch nicht kleiner geworden, alles deutete auf neue Unruhen und ihre Niederschlagung hin, und was hatte die Jungfrau dagegen unternommen? Was mußte eigentlich noch alles geschehen, bevor *Sie* sich Polens, *Ihres* Polens endlich erinnerte?

Zwar hatte die katholische Zeitschrift *Slowo powszechne* am 3. Mai, während über den Warschauer Himmel schon wieder Tränengaswolken zogen, gemeldet, daß am Vortag »Hunderttausende polnische Frauen« in Czenstochau gewesen seien und der Schwarzen Madonna dort einen goldenen »Kelch des Lebens« zum Geschenk gemacht hätten. Wohl um sie wegen der vielen Abtreibungen zu besänftigen, wie?

Und dieser segelohrige Primas hatte dazu gleich wieder eine seiner besänftigenden Predigten gehalten. Aber war der Kriegszustand davon erträglicher geworden? Wem hatte, verflucht noch einmal, das alles genützt? Worauf wartete *Sie* noch?

So oder ähnlich mochte dem betrunkenen Witold Z. seine Wut berechtigt erschienen sein. Aber einer frömmeren Betrachtung konnte seine Verurteilung doch nur als ein ordinäres Belegstück dafür gelten, daß in Polen nach wie vor niemand – niemand!, und zwar in ganz Polen, dem großen katholischen ebenso wie dem kleinen kommunistischen – die Gottesmutter, die Königin des Himmels, die Zuflucht der Sünder, die Arche des ewigen Bundes, die Trösterin der Betrübten, ungestraft entweihen konnte. Ein Verbrecher, wer es dennoch versuchte. Ein Belegstück aber auch dafür, daß der kleine Teil Polens dem großen wieder einmal zeigen wollte, daß im Lande alles mit rechten Dinge zugehe: Aufgepaßt, Katholiken! Seht, wie unsere Miliz Polens Königin beschützt! Beruhigt euch! Die Königin, die Königin, die Königin!

Die Königin. Während der klirrend kalten Osterfeiertage des Jahres 1656 hatte der aus seinem Exil zurückgekehrte Polenkönig Jan II. Kazimierz in der Kathedrale von Lemberg die Schwarze Madonna von Czenstochau rechtskräftig zur »Königin der polnischen Krone« ausgerufen. Im Namen der polnischen Nation legte Kazimierz gleichzeitig ein Gelübde ab, das der Kirchenfürst Wyszyński knapp dreihundert Jahre später, nach einer ausgiebigen Gefängnis- und Klosterhaft, die ihm das stalintreue »Urzad Bezpieczeństwo«, das Sicherheitsamt, verschafft hatte, sehr trotzig erneuern sollte: »Immer und ewig« werde Polen seiner Königin treu bleiben undsoweiter. Man kennt solche Schwüre.

Aber während die Bauern, deren Leibeigenschaft abzuschaffen Kazimierz in Lemberg ebenfalls gelobt hatte, noch lange vergeblich auf die Einlösung des Gelübdes warten konnten, trat die Jungfrau ihr Amt mit sofortiger Wirkung an: Kein Hetman, der vor Kriegszügen nicht die Königin um den Tod der Feinde gebeten hätte, kein König, der nach seiner Krönung nicht zu *Ihr* gepilgert wäre; der einzige, der es nur gelobt und nicht getan hatte, Seine Majestät Stanislaw August Poniatowski, sollte dann auch der letzte Polenkönig bleiben. »Nicht zufällig!« wie Kirchenrektor Dymny an dieser Stelle eingeworfen hatte.

Das Volk brauchte es den Großen dabei nicht erst nachzutun: Es hatte sich längst daran gewöhnt, vor der Schwarzen Madonna als der wahren Herrin Polens zu knien. Aber den Lemberger Krönungsfeierlichkeiten war das blutige Jahr 1655 vorausgegangen. Ein Jahr, dessen wunderbaren Ausgang Augustyn Kordecki, Abt von Czenstochau, in seinem 1657 in lateinischer Sprache erschienenen Tagebuch *Nova Gigantomachia* beschrieb. Kordecki selbst wiederum sollte sehr viel später zum Helden eines sehr dicken Romans werden, den der polnische Literaturnobelpreisträger von 1905, Henryk Sienkiewicz, unter dem Titel *Potop – Die Sintflut* verfaßte. Sienkiewicz erzählt darin von eben jenem Wunder, an dem Herr Kordecki und seine schwerbewaffneten Pauliner noch mitgewirkt hatten:

Die Flut hatte in Gestalt der Söldnerheere des Schwedenkönigs Karl X. Gustav Polen überspült. Im Zuge eines unaufhaltsam scheinenden Vormarsches belagerten die Landsknechte unter dem Befehl eines Generals namens Burchard Müller auch das Kloster Jasna Góra. Am 18. November 1655 waren die Haufen unter Getöse vor Czenstochau erschienen und nach vierzig Tagen unter Getöse wieder abgezogen. Erfolglos. Ein Wunder!

Zwar hatten die Pauliner im Verein mit befreundeten Kriegern auch selbst einiges zu dieser militärischen Schlappe der Schweden beigetragen. Pater Ratyński etwa, ein begnadeter Artillerist, der aus einer geradezu unglaublichen Entfernung einem schwedischen Offizier direkt in den Kopf zu schießen vermochte; aber in dem nun von Czenstochau ausgehenden Sturm gegen die schwedischen Besatzer verloren sich nach und nach alle Zweifel, daß *Sie*, *Sie* allein es gewesen war, die zuerst Czenstochau und dann Polen wieder einmal von dem Übel erlöst hatte.

Zugegeben, die Schwarze Madonna hatte sich während der Belagerungswochen nicht im Kloster aufgehalten, sondern war schon zuvor nach Lubliniec evakuiert worden, aber was war dieser Umstand schon gegen das Bild eines inneren Augenzeugen, das sich über eine Wand des Rittersaals von Jasna Góra breit und bunt hinzieht: die Madonna im Passepartout der Wolken über dem Kloster, über den Schlachtreihen. Aus der Flughöhe lenkt *Sie* die Artilleriegeschosse der Schweden ab oder läßt sie zu bloßen Feuerwerkskörpern werden, die rot zerplatzen. Das Wunder.

Kein Wunder, daß die Militärs verschiedenster polnischer Armeen *Ihr* allen Respekt erwiesen: Fünf überaus prunkvolle Marschallstäbe, Geschenke königlicher Hetmane, wurden der Madonna bereits zu Füßen gelegt. Haufenweise andere Militaria. Am 3. Mai 1976, Jahrestag der ersten polnischen Verfassung 1791 und Festtag der »Maria Königin von Polen«, überwiesen schließlich auch acht Generale der Volksarmee ihre sämtlichen Orden der Dunklen, der Schönen.

Daß die Madonna nach wie vor auch als Oberbefehlshaberin der polnischen Armee kniefällig verehrt wurde, erschien Braciszek längst selbstverständlich. Noch im August des Jahres 1939, zwei Wochen vor der Verwandlung Polens in ein deutsches Schlachthaus, in dem schließlich mehr als sechs Millionen Polen getötet werden sollten, war durch die Bucht von Danzig eine gigantische theophorische Kriegsschiffprozession gepflügt; allen voran ein Panzerkreuzer mit der Monstranz und einem Bild der Schwarzen Madonna an Bord. *Sie* hatte doch auch schon andere Schlachten gewonnen. *Sie* war es ja, die gemäß den Berichten innerer Augenzeugen über den Wolkenfeldern bei Chocim 1673 erschienen war und dem späteren Polenkönig Jan III. Sobieski entscheidend geholfen hatte, die heidnischen Hunde zu schlagen. Und nur zehn Jahre später war die Allianz zwischen Himmel und Erde noch einmal mächtig geworden: Jan Sobieski zog zunächst nach Czenstochau, kniete dort, und dann in Eilmärschen nach Wien, das gegen die Türken kaum mehr standzuhalten vermochte. Sobieskis Husaren, mit dem Bild der Schwarzen Madonna auf ihren Brustpanzern, sorgten für erfolgreichen Entsatz. Viele tote Türken und Jubel in Wien. Und Sobieski kniete wieder in Czenstochau.

Auch der Polenmarschall Pilsudski, er sollte sich späterhin noch zu einem Diktator auswachsen, durfte an der Weichsel sein Wunder erleben, nachdem er sich 1920 mit seiner Armee bis nach Kiew vorgewagt hatte und schließlich, gehetzt von der Roten Armee, bis vor Warschau zurückrennen mußte: In den Augustkämpfen vor Warschau, rund um den Festtag der Himmelfahrt Mariens, konnte wiederum nur *Sie* es gewesen sein, die diesmal mit den bolschewistischen Artilleriegeschossen in bewährter Manier verfuhr, Granaten ablenkte und Herrn Pilsudski zu einem völlig unerwarteten Erfolg über die Rote Armee verhalf. Mit Pilsudski kooperierende französische Offiziere unter General Weygand, darunter auch ein Herr namens Charles de Gaulle, schrieben die Niederlage der Bolschewisten unter anderem zwar russischen Strategiefehlern zu, der versäumten Sicherung des Nachschubs etwa, aber die sollten nur reden. *Das Wunder an der Weichsel – Ihr Sieg.*

»Es soll Sie nicht wundern«, hatte Rektor Dymny zu Braciszek gesagt, »wenn viele Polen fest davon überzeugt sind, daß *Sie* nun auch mit den Russenfreunden fertig werden wird, nachdem *Sie* mit den Schweden, Türken, Bolschewisten und allem anderen fertig geworden ist.« Aber Braciszek wunderte sich ohnedies nicht mehr. »Von *Ihr* geht eine ungeheure Kraft aus«, setzte Dymny fort, und die Windstöße, die während des immer ehrfürchtiger werdenden Gesprächs in die Kronen der Ahornbäume vor den Fenstern fuhren, waren außerordentlich geeignet, seine Worte zu illustrieren. Aber Dymny kümmerte sich schon nicht mehr um das, was draußen vorging: »Mit dieser Kraft hatte jede Regierung in Polen zu rechnen; man fürchtet sie. Aber die Schwachen haben immer Angst...« Jetzt lächelte er.

Die Weinflasche war fast leer. »Gut oder schlecht«, sagte Dymny nun wieder ernst, »die polnische Kirche hat immer auch im nationalen Interesse gekämpft. Natürlich wäre es schon immer einfacher gewesen, *nur* von der Erlösung zu reden, aber das genügt in Polen nicht. Die Menschen dort kommen nicht nur der Erlösung wegen zu uns; sie kommen, wenn sie Dinge brauchen, die sie anderswo nicht kriegen können. Daß man vor der Miliz in die Kirche flüchtet, ist ein Extremfall, aber wer sollte den Freunden oder Familien der Internierten Rechtsberatung geben, wenn nicht die Priester? Wer soll ihnen helfen? Und wo soll eine kritische Kultur stattfinden, wenn nicht in den Institutionen der Kirche? Wo sollen unbequeme Schriftsteller und Intellektuelle schreiben, wenn nicht in den Zeitschriften und Verlagen der Kirche? Diese Kirche bemüht sich doch nicht nur um die religiöse, sondern ebensosehr um die historische Wahrheit. An der katholischen Universität in Lublin geht es schließlich nicht nur um Theologie!

Was die Russenfreunde als Wahrheit ausgeben, das ist doch Wahnsinn! Wahnsinn ist das! Alle, alle Großen der Nation sollen plötzlich Kommunisten gewesen sein!« Dymny schwieg. Braciszek hatte nichts zu sagen.

»Was sagst du? Singen sie nicht schön?« Pater Lipiec hat sich längst in einen richtigen Priester verwandelt. Der schwarze Ledermantel hängt in der Sakristei der Altenmarkter Kirche. Braciszeks Citroën steht vor dem Friedhofsportal. Lipiec, im goldbestickten Ornat am Altar, hat sich den Gläubigen, hat sich Braciszek zugewandt und ihn mit seiner Frage überrascht. Quer durch das Kirchenschiff! In der Hand einen Goldkelch, fragt ihn Lipiec plötzlich durch das Kirchenschiff, ob sie nicht schön gesungen hätten. Braciszek sitzt in der vermeintlichen Sicherheit einer Hinterbank, unter dem Bild der elften Kreuzwegstation, »Jesus wird ans Kreuz genagelt«; aber jetzt sitzt er im Schnittpunkt von etwa zweihundert Blicken, die sich nach der Frage des Priesters auf ihn gerichtet haben. Beschäftigt mit seinem Notizbuch, hat er damit nicht gerechnet. Er ist verlegen. Ja, schön hätten sie gesungen. Die Blicke schwenken wieder zum Altar.

Während Lipiec den Gläubigen begeistert erzählt, daß Jesus der ewige Baum sei, aus dessen Stamm die starken Zweige der Kirche hervorwachsen würden, denkt Braciszek an eine andere Predigt. Józef Tischner, Prälat in Krakau, Freund und Theoretiker der Solidarność und nach Wyszyńskis Tod Außenseiterkandidat für das Amt des Primas von Polen, hatte Zehntausenden Mitgliedern der Solidarność im Oktober 1980 auf dem Krakauer Wawel zunächst das Lukasevangelium empfohlen: »Sollte Gott seinen Auserwählten, die Tag und Nacht zu ihm rufen, etwa nicht zu ihrem Recht verhelfen, sondern zögern? Ich sage euch: Unverzüglich wird er ihnen Recht verschaffen.« Aber die Worte jenes Evangelisten, von dem die an ikonographischen Spekulationen nicht besonders interessierten Marienverehrer glauben, *er* habe die Schwarze Madonna von Czenstochau gemalt, waren längst nicht alles. Tischner konnte auch konkreter werden: »Wer versteht, der herrscht. Wer nicht in der Lage ist zu verstehen, muß abtreten – sogar, wenn ihn Legionen von Soldaten schützen . . . Es geht nicht darum, daß die Revolution eine blutige Rache an den Tyrannen sei, sondern darum, daß unter den Menschen eine vernünftige Ordnung eingeführt wird. Wenn der Tyrann abtreten muß, dann nicht so sehr deshalb, weil er sich als zu brutal erwies, sondern eher deshalb, weil er sich als zu dumm erwies . . .« Nach seiner Predigt weist Lipiec wieder auf Braciszek, aber der ist vorbereitet: Der dort hinten, das sei Krzysztof, er sei auf der Suche nach der Schwarzen Madonna; die Brüder und Schwestern sollten nur hingehen zu ihm und ihm erzählen von Czenstochau und der Königin der Polen.

Dann steht Cyryl Rolek, ein Sportlehrer aus Warschau, neben Braciszek und erzählt, er sei noch vor jeder wichtigen Entscheidung seines Lebens nach Czenstochau gepilgert. Das täten viele Polen. Er glaube fest an den Sieg der Schwarzen Madonna und an die Solidarność, aber im Flüchtlingslager von Traiskirchen könne er nun schon seit acht Monaten nichts anderes mehr tun als warten. Auf sein Visum. Nach Las Vegas. Dort werde es vielleicht besser.

Hanna heiße sie, sagt eine Frau zu Braciszek, drückt ihm eine Ansteckschleife mit dem Bild der Madonna in die Hand und setzt sich wieder in eine der vorderen Kirchenbänke. Und er sei Roman Kubiszek, umarmt ihn ein Maschinenbauer aus Wroclaw. Dreimal habe die Schwarze Madonna seinen Vater geheilt, aber der sei vor einem Monat gestorben. Er selbst habe nicht zum Begräbnis gehen können, man hätte ihn vielleicht verhaftet. Jetzt wolle er nach Deutschland.

Braciszek schreibt. Eine Krankenheilung hier, eine Freilassung aus dem Gefängnis dort. Erhörungen.

Das Protokoll seiner Ausfahrt mit Lipiec wird aber auch das größte Wunder der Schwarzen Madonna enthalten: *Ihre* Beihilfe zur Einheit der Nation quer durch Zeiten, in denen Polen als Staat längst aufgehört hatte zu existieren. Polen war unter den Dynastien der Piasten und Jagiellonen groß, zeitweilig zu einem der größten politischen Gebilde Europas geworden, aber die von einer ebenso bestechlichen wie uneinigen Aristokratie wieder mürbe gemachte Adelsrepublik hatte sich schließlich in einem Stakkato von Teilungen verflüchtigt: 1772 zum erstenmal, 1793 zum zweiten-, 1795 zum dritten- und nach dem Wiener Kongreß 1815 faktisch zum viertenmal von den Nachbarn Preußen, Österreich und Rußland nach allen Regeln der Grenzkunst geteilt, war dieses Land aus seiner staatlichen Gestalt in die Utopie zurückgekehrt. Auch das endlich unabhängige Polen von 1918 sollte unter dem Hitler-Stalin-Pakt wieder auseinanderbrechen und seine neuen Grenzen erst über Konferenzen in Teheran, Jalta und Potsdam wiederfinden.

Zu allen Zeiten der Teilung war die Kirche als einzige überregionale, alle Teilungsgebiete umfassende nationale Institution intakt geblieben, und ihr blühendes Zentrum, Czenstochau, hielt noch die leisesten Hoffnungen auf eine polnische Auferstehung, eine zum Staat befreite Nation wach. Die Wallfahrt nach Czenstochau – eine nationale Unternehmung: die Schwarze Madonna – ein Garant für die Erfüllung politischer Sehnsüchte.

Gleichgültig, ob sich Braciszek für das Jahr 966, Datum der beginnenden Christianisierung Polens unter seinem ersten Herrscher Mieszko I., oder ein anderes der angebotenen Geburtsdaten Polens entscheiden mochte – die Geschichte dieses Landes verlief stets auch in Richtung Czenstochau. Zur Unbesiegbaren. Aber Braciszek war sich klar darüber, daß er die Erwähnung *Ihrer* offensichtlichen Unbesiegbarkeit in der polnischen Botschaft besser unterließ. Der Presseattaché hatte angerufen. »Herr Kranzmeir«, hatte er zu Braciszek gesagt, »ich habe die Bestätigung aus Warschau. Sie können nach Czenstochau fahren; heute, morgen. Wann Sie wollen.«

Die Unbesiegbare. Drei von den zahllosen Kopien der Schwarzen Madonna verließen Czenstochau mit päpstlichem Segen: Eine wurde in die Gruft der Päpste nach Rom getragen; eine andere reist durch die Gemeinden der etwa zehn Millionen Polen auf allen Kontinenten und eine dritte durch Polen selbst. Von Pfarrei zu Pfarrei. Man empfängt *Sie* mit Prunk.

Ein Parteisekretär, Gierek, sein Name wird in Polen gerade vergessen, hatte sich vor Jahren unterstanden, diesen Einzug der kopierten Madonna, es war in Kattowitz, zu stören. Gierek ließ das Bild von der Miliz aus dem Goldrahmen entfernen und nach Czenstochau bringen. Das Getue sollte wenigstens auf Jasna Góra beschränkt bleiben. Ausgerechnet Gierek! Wo doch jeder wußte, daß er nicht einmal seine eigene Mutter davon abhalten konnte, vor der Madonna zu knien.

Durch Kattowitz jedenfalls trug man damals den leeren Rahmen. Kniende entlang des Weges, Blumen, Kerzen. Eine riesige Prozession.

Die Ausflüge, die Braciszek nach der Niederschrift seines Protokolls unternahm, konnten nurmehr der Spurensicherung dienen. Eine Tagesreise in das niederösterreichische

Aspang etwa. Hoch über dem Talboden steht Braciszek dort vor einer massiven Kapelle, die Frau John, eine pensionierte Lehrerin, um ein Bild der Schwarzen Madonna hat bauen lassen. Das Bild hätten ihr die Mönche von Jasna Góra geschenkt. Nach ihrer zwanzigsten Wallfahrt. Im Februar hätten hier vierhundert polnische Emigranten gekniet. Im Schnee. »Gaude Mater Poloniae« hätten sie gesungen.

Auf dem Kahlenberg vor Wien läßt sich Braciszek die Schlachtordnung der polnischen Husaren erklären, denen die untenliegende Stadt ihre Freiheit vom Halbmond verdankt. Der genauestens unterrichtete Priester, nach dem Türschild muß es Pater Szulhaczewicz sein, führt Braciszek dann auch noch in die Kirche, die an den Sieg erinnern soll. Vor ein Bild der Schwarzen Madonna. Auch hier viel polnischer Besuch.

Und dann das Flüchtlingslager Traiskirchen. Die meisten der 1800 Lagerinsassen sind Polen. Keiner kommt ohne Ausweisleistung durch das mit scharfer Munition bewachte Tor. Weder hinaus noch hinein. Braciszek sieht dort lange, dreckige Gänge, an denen aufgefädelt Notbetten stehen. Lysolgeruch überall. Zerbrochene Fensterscheiben. Der polnische Adler über einer Saaltür, hinter der achtzig Asylanten, Eisenbett an Eisenbett, auf die Veränderung der Umstände warten. Eine Familie aus Warschau hat ihr Stockbettgestell mit Decken verhängt. Wände aus grobem Stoff, ein Rest von Wohnung. Mit einer Sicherheitsnadel in den Stoff gespießt: das Bild der Schwarzen Madonna. Eine Ansichtskarte.

Zurück aus dem Lager, schließt Braciszek sich der am Rennweg angekündigten Ersatzwallfahrt nach dem steirischen Mariazell an. Neunzehn Großraumbusse voller Polen. Die Kirche übernimmt die Fahrtkosten aller Pilger.

Litaneien und Lieder unterwegs. Braciszek findet das Ziel der Wallfahrt erwartungsgemäß vor: Transparente und Luftballons der Solidarność, »Freiheit für Polen«, Kirchenfahnen und ein mitgebrachtes Bild der Schwarzen Madonna. Über ein Megaphon die Aufforderung zur Beichte. Auch vor der fremden Jungfrau von Mariazell liegen polnische Pilger mit weit ausgebreiteten Armen auf dem Steinboden. Eine ganze feierliche Messe lang. Im steirischen Bergland sind die Steinböden auch im Marienmonat noch sehr kalt.

In gleichmäßigen Rhythmen behindern die Fontänen des Hochstrahlbrunnens am Wiener Schwarzenbergplatz die Sicht auf das Denkmal der Roten Armee. Ein riesenhafter Soldat auf einer Säule; seine Gestalt war so unproportioniert ausgefallen, daß man ihm einen schweren, völlig anachronistischen Schild zur Seite stellen mußte, um seinen Sturz von der Säule zu verhindern. Ein flüchtiges Bild auf dem Weg zum Ostbahnhof. Dort, auf Gleis drei, der »Chopin Express«. Abfahrt 21 Uhr 40. Kurswagen nach Ostberlin und Moskau.

»Wohin?« Der Name scheint dem Schalterbeamten noch nicht untergekommen zu sein.

»Czenstochau«, sagt Braciszek noch einmal.

»Buchstabieren!«

Braciszek buchstabiert. »Polen«, versucht er dem Beamten behilflich zu sein.

Hinter einer Leuchttafel gleitet ein Zeiger langsam über die Städte Osteuropas. Der Beamte tritt wieder ans Schalterglas. »884 Schilling«, sagt er.

(1982)

Der Blick in die Ferne

Ablenkung am
Rande der Gesellschaft

Josef Werwein, ein zweiundachtzigjähriger Schreiner aus Oberbayern, hat das Fernsehen abgeschafft. Eine Leichtigkeit und Freude war ihm das »Gestarre in eine jenseitige Welt« ohnedies nie. Wenn er am Abend in der dunklen Küche seines Hauses vor dem Bildschirm saß, dann erfaßte ihn über den vielen Kriegen, die er da mit ansehen mußte, über den Nachrichten von »Stürmen, Feuersbrünsten und der Heimtücke der Menschheit« manchmal eine so große Unruhe, daß er vor dem Schlafengehen nicht einmal mehr richtig beten konnte. Er kniete dann neben seinem Bett nieder und sprach nur ein Stoßgebet: »Jesus, Jesus, laß an Deiner Brust mich flehn, da die Wasser näher rauschen und die Wetter höher ziehn.«

Dabei hatte Werwein die »Fernsicht« doch angeschafft, es war vor vier Jahren im Herbst, weil er mit seiner Haushälterin sehr allein im Moor lebt, weil er bis zum nächsten Dorf, nach Habach, einen langen Weg hat und weil ihm damals schien, daß ein Blick in die Weite, bis nach Afrika und Indien, »eine große Wohltat für die minderen Leute« sein müßte, die »leiblich niemals fortkönnen von dem Ort, an dem sie eingeboren sind«. Aber nach sechs Monaten des Lebens mit dieser Weite, nach kaum zweihundertmal Einschalten, Hinsetzen, Schweigen und Stillhalten und der immer wiederkehrenden Unruhe ist Josef Werwein zur Einsicht gekommen, daß »beim Fernsehen das Innerste des Menschen auf ein Geflimmere und Geflackere konzentriert ist«. Und das raubt ihm die Kraft, die Zeit und den Schlaf. Also hat Werwein das Fernsehen wieder abgeschafft. Er hat den Stecker herausgezogen, den Kasten zugedeckt und nie mehr hineingeschaut.

Das sogenannte Millionenpublikum, eine universale Gesellschaft von Zuschauern, aus der sich Josef Werwein so beiläufig wieder entfernt hat, bemerkte damals natürlich nicht, daß plötzlich einer fehlte. Wie denn auch. Man saß, kauerte oder lag wie immer in verdunkelten Räumen, versunken in den Anblick eines von Visionen flackernden Bildschirms, hielt die Türen geschlossen, vielleicht auch die Fenster, tat und sah zur gleichen Zeit das gleiche wie Millionen andere auch und wußte doch nichts voneinander, schwieg und war mit den Bildern allein. Reden wir also von denen, die so viele sind und nichts voneinander wissen; von denen, die täglich mit kleinen Reden begrüßt und wieder verabschiedet werden und doch nicht anders antworten können, als an Knöpfen zu drücken oder zu drehen; von denen schließlich, die grundsätzlich schweigen, schweigen *müssen*, weil sonst verflucht nicht zu hören und zu verstehen wäre, was da so schnell und so unaufhaltsam über die Bildschirme zieht. Reden wir also – von uns.

Immerhin verbinden uns Hunderttausende Punkte; Hunderttausende phosphoreszierende Punkte, die, von einem Kathodenstrahl hinter Glas zum Glühen gebracht, in unseren Köpfen Tätowierbilder erzeugen. Und so vertraut sind wir mit diesen Bildern geworden, daß die Alltagssprache uns längst beim gleichen Namen nennt wie die Geräte, die uns immer neue Visionen liefern. Wir heißen Fernseher.

Wir haben es uns bequem gemacht. Man sagt, wir seien einfallslos, abgestumpft, ja verblödet, weil wir uns an flüchtigen Bildern vergnügten, weil wir uns mit Nachrichten etwa aus Denver und Dallas beschäftigten und zurechtgestutzter, gesiebter Information – nur nicht mit der Wirklichkeit. Was uns auf den Bildschirmen vorgeführt werde, sagt man, sei ein Abklatsch, billige Unterhaltung, Verzerrung, Leben aus zweiter Hand und bestenfalls geeignet, uns vollends zu sprachlosen Untertanen zu machen, willfährig, widerspruchslos und ohne Gedanken. Aber wir fragen zurück: Wovon schließen wir uns denn in verdunkelten Zimmern ab? Wovon erholen wir uns denn beim Starren und Stillhalten? Von einem Leben aus erster Hand vielleicht? Vom Glück?

Gott ja, wenn da draußen Gärten und Weinlauben wären, alles unsere eigenen Gärten, Springbrunnen, Feuerwerke, die Brandung mit Palmenpromenade und Sonnenuntergang, ein schönes Gebirge oder das dahinrollende Hügelland mit ein, zwei Stück Rotwild und rauschenden Eichen – dann wäre es wohl nicht schwer, das flimmernde Ding vor uns gelegentlich zu lassen, uns zu erheben und zu sagen, so, das war's, genug jetzt, Schluß, nun wenden wir uns wieder dem wirklichen Leben zu.

Aber so.

Nein, man macht uns nicht irre. Denn auch wenn wir getrennt voneinander sind und in unseren Wohnzimmern noch so allein: wir sind und bleiben die Mehrheit, das größte Publikum der Welt. Was wären denn die schnatternden Showmaster, die pünktlich erscheinenden Kommentatoren des Weltgeschehens und selbst unsere Politiker ohne die Aufmerksamkeit, die wir ihnen schenken – solange sie auf dem Bildschirm erscheinen? Keine dieser Figuren des öffentlichen Lebens kann auf unsere Aufmerksamkeit verzichten. Oh, wir wissen genau, wie sehr man sich vor die Kameras und an uns herandrängt – in der Hand mal ein Waschmittel, mal ein politisches Programm, das Gesicht am Schminktisch übertüncht und immer um Eindruck bemüht. Wir lassen sie schnattern und braten im Scheinwerferlicht, lehnen uns zurück und wissen: Wir haben es ja in der Hand. Ein Knopfdruck von uns, und sie verschwinden. Alle. Diese Macht haben wir. Immerhin. Und die behalten wir auch. Nein, mit ein paar Einwänden hat uns noch keiner vom Bildschirm weggeholt. Man sieht uns höchstens manchmal aufspringen, wenn der Showmaster befiehlt: Alles an die Haushaltsgeräte! Infratest! Dann sind wir schnell. Dann schalten wir unsere Elektroöfen ein, auch wenn es draußen sommerlich warm ist, unsere Haartrockner, Backrohre, Ventilatoren und Toaster und zeigen am emporschnellenden Stromverbrauch, welchem Quizkandidaten unsere Sympathie gehört, zeigen denen da oben unseren Willen, der sich auf den Skalen der Hauptlastverteiler zitternd niederschlägt und Sekunden später wieder verschwindet.

Versetzen wir uns zur Prüfung unserer Beharrlichkeit an einen Ort, an dem wir größtmögliche Fernsicht genießen; an den höchsten Punkt Deutschlands. Eine Kleinigkeit – schließlich haben wir uns ja daran gewöhnt, mehrmals täglich und schon im Rahmen einer einzigen Sendung an verschiedenste Orte versetzt zu werden; aus den Straßen von San Franscisco in die Straßen von Kabul, von dort nach Gummersbach, später ins Waldparkstadion, dann in die Westsahara und über den australischen Busch, Sankt Gilgen, Mombasa, Oberammergau, Teheran und Dallas wieder zurück nach Wien oder Bonn. Versetzen wir uns diesmal also auf die Zugspitze. Dort, knapp dreitausend

Meter über dem Meer, versieht Manfred Kristen seinen Dienst als Wetterwart, umgeben von Barographen und Thermometern, Windmessern und Sonnenscheinschreibern und allein mit mehr als hundert verschiedenen Zuständen des Wetters, die er stündlich zu beobachten, zu beschreiben und weiterzumelden hat.

Die vier Fenster der Turmstube Kristens sind exakt nach den Himmelsrichtungen gesetzt. An klaren Tagen im Herbst, sagt Kristen, sehe er von hier aus in nordwestlicher Richtung zweihundertsiebzig Kilometer weit und hundertdreißig Kilometer über den alpinen Bereich, hier den Dachstein, den Wilden Kaiser, den Großvenediger und Großglockner, dort die italienischen Dolomiten, die Berninagruppe in der Schweiz, den Bayerischen Wald und den Schwarzwald, ein grandioser Blick über die Ebenen, Hügel, Schroffen und Gipfel von vier Ländern, die hier keine Staaten mehr sind, sondern nur noch vom Horizont begrenzte Landschaften; eine Pracht.

Seit zwei Jahren steht zwischen allem Gerät der Wetterwarte, dicht am südlichen Fenster, auch ein Fernseher, zur Erleichterung des jeweils vierundzwanzigstündigen Dienstes bis zur Ablöse. Spielfilme, sagt Kristen, könne er nur mit längeren Unterbrechungen verfolgen, der vorgeschriebene Rhythmus der Ablesung und Übermittlung sämtlicher Meßwerte und der stündliche Kontrollgang hinauf auf die Dachplattform der Warte, bei Sturm und Schneetreiben oft, ließen keine ungestörten Fernsehabende zu. Aber das Fernsehen habe für ihn hier oben viel von seiner früheren Bedeutung verloren, gerade gut genug für das Aktuelle, den Sport und natürlich den Wetterbericht, mehr nicht, denn die Faszination der Himmels- und Wetterschauspiele da draußen sei doch unvergleichbar größer als ein elektronisches Unterhaltungsprogramm.

Wir betrachten eine langgezogene, schimmernde Wolkenbank, die an den umliegenden Gipfeln zerreißt, Nebelschwaden, die aus den Tälern des Wettersteingebirges zu uns emporrauchen, und Kristen erzählt von den zumeist lautlosen Spektakeln seines Klimatheaters, von Schichtwolken, die über die Grate wie über eine Wasserwehr die Steinhalden hinabfließen, von Lichtsäulen, rotglühenden Felswänden, Mondhöfen und Nebensonnen, von den Funkensträußen des Sankt Elmsfeuers, die unter der Spannung von Höhengewittern von allen metallischen Gegenständen sprühen, Blitzen, die als gleißende Feuerbänder die Verstrebungen der Warte entlang hinabschießen und in den Stein schlagen, und von Eiskristallschwaden, auf denen der Schatten eines Menschen ins Ungeheure vergrößert und eingefaßt in die Farben des Regenbogens erscheint. Und dann zeigt der Wetterwart plötzlich auf seinen Fernseher und fragt uns: »Und Sie? Würden Sie denn den Kasten da anmachen, wenn Sie solche Bilder vor sich haben?«

Nein, wollen wir schon sagen, natürlich nicht. Aber dann besinnen wir uns. Wenn wir nun eine solche Entscheidung grundsätzlich treffen müßten? Ist denn soviel Natur, soviel Landschaft, leere Kulisse ohne Schauspieler, Handlung und Hintergrundmusik auf Dauer nicht langweilig? Wir haben doch auch im Fernsehen schon großartige Bilder gesehen, Berichte von Himalajaexpeditionen, Gletscherwanderungen und Wüstenmärschen, alles sehr nah und bestens erklärt, waren in größter Gefahr und doch geborgen daheim, bizarr, diese Schluchten, die Dünen, die Einsamkeit – aber das alles war eben nicht so leer, so ausgeräumt, sondern mit Abenteuern bestückt, mit Helden oder zumindest Sportlern und Kommentatoren. Was nützt uns schließlich eine schöne Wildnis vorm Fenster, wenn wir ihr bewegliches Abbild auch innerhalb der eigenen vier Wände haben und dazu gleich das Länderspiel beginnt oder die Serie, von der wir noch keine Folge versäumt haben. Wir schießen uns doch auch das Fleisch nicht mehr selber und gehen nicht zu Fuß, wohin eine Autobahn führt.

Wir erinnern uns an das Gefühl, den Fernseher ein- und diese sogenannte Wirklichkeit damit auszuschalten, uns endlich fallenzulassen, dazusitzen wie früher einmal vielleicht um den Ofen, das Feuer, nur ins Licht zu schauen, in tadellos gelieferte Bilder und darüber Rechnungen, die Arbeit, Versicherungspolicen und Verletzungen jeder Art zu vergessen und allmählich beruhigt zu werden. Mühelos. Manchmal sind wir dabei eingeschlafen und lange nach Sendeschluß mit trockenem Mund, verrenkt, in einem weißen Flimmern und Rauschen wieder aufgewacht und haben uns dann gewünscht, das Programm ginge gleich weiter, weil uns Beruhigten selbst das Schlafengehen schon als Anstrengung erschien. So leicht also läßt sich die Frage des Wetterwarts nach Abschalten und Fernsehverzicht nicht beantworten. Wir sind vorsichtig geworden, sagen auf derlei Fragen »Vielleicht« und »Es kommt darauf an, wir werden sehen« und lassen die Zugspitze hinter uns.

Wieder unten, dort, wo das Land sanfter und hügelig wird, an der Straße nach dem oberbayerischen Hofheim, sitzt der Landwirt Alois Blum mit seiner Frau Rosina und dem Erben Alois junior auf der Hausbank. Es ist ein lauer Abend, kurz vor der Tagesschau. Die Blums haben vieles, wovon man in den Städten gelegentlich träumt – einen Stall voller Kühe, Weideland, Obstbäume, ein geräumiges Bauernhaus und die Alpen schmuck in der Ferne. »Eigentlich«, sagt Blum senior dann auch erwartungsgemäß, »eigentlich ist das Fernsehen die größte Volksverblödung.« Blum junior sagt nichts. Der Senior steht auf. »Die allergrößte

Volksverblödung«, bekräftigt er noch einmal und hat es dann doch wohl nicht so gemeint. Eben saß er noch neben uns, rauchte Zigarre und erzählte ein bißchen von Giftkräutern und Krieg und ist dann plötzlich in die Stube verschwunden. Von dorther, durch die geöffnete Tür, durch den Flur und bis vor das Haus dröhnt jetzt die Tagesschau.

Aber wenden wir uns vom südlichen Ende Deutschlands ab und dem Norden zu, den Inseln und Halligen im nordfriesischen Wattenmeer. Reden wir nicht von Entfernungen, die bis dorthin zu überwinden sind, nicht von Autobahnkilometern, Flugstunden und Untiefen; für uns sind Entfernungen nichts als ein Kameraschwenk, ein Schnitt und die Leuchtschrift eines geänderten Inserts: Wir finden uns wieder auf Hallig Hooge, einer weitläufigen, eingedeichten Wiese mitten im Meer, eineinhalb Fährstunden vom nordfriesischen Festland entfernt. Silbermöwen ziehen über Rinderherden ihre Schleifen, und wie Bastionen erheben sich aus dem flachen Weideland kleine, von Häusern und Bäumen bestandene Hügel, die Warften, auf denen die Halligbewohner vor der Sturmflut sicher sind. Nirgendwo Fernsehantennen. Die sind zum Schutz vor dem eisenfressenden, salzigen Wind alle unter den Dächern montiert. Wir haben Otto Dell-Missier, den Bürgermeister der Hallig, in einer Gemeinderatssitzung gestört, die der Notwendigkeit eines neuen Anlegesteges galt, und sind dann mit ihm in sein Haus auf die Hanswarft gekommen. Der Bürgermeister sitzt nun mit seiner Frau und seinem Sohn Jan vor dem Fernseher im Wohnzimmer und erzählt, wie alles anfing, während auf dem Bildschirm eine Karawane durch Sandfontänen dem marokkanischen Atlasgebirge entgegenzieht. Dell-Missier war einer der drei ersten auf Hallig Hooge, die einen Fernseher angeschafft hatten; eine großartige Sache damals, es war '59, noch zehn Jahre vor dem Bau der submarinen Kunststoffwasserleitung vom Festland hier rüber, noch in der Zeit der Zisternen.

Die Abgeschiedenheit der Hallig, sagt Dell-Missier, sei durch das Fernsehen doch sehr gemildert worden. Zwar käme auch jetzt die Fährenverbindung zum Festland in den Eisstößen und Sturmfluten des Winters noch zum Erliegen, aber durch das Fernsehen bleibe man nun trotzdem irgendwie in der Welt. »In der ersten Fernsehzeit ist es wohl auch geschehen«, sagt der Bürgermeister, »daß wieder einmal die Sturmflut kam und die Rinderherden auf die Warften getrieben und die Zisternen vor dem Salzwasser geschützt werden mußten und man vor der Kiste saß und sagte, ach, laß uns doch erst mal bis Viertel vor zehn die Familie Hesselbach zu Ende sehen. Als die Serie zu Ende war, war's fast zu spät. Da war die Flut schon da.« Er habe gelernt, sagt der Bürgermeister und prostet uns zu, in dieser Kiste auch eine gewisse Gefahr zu sehen – nicht allein wegen der Sturmflut, auch nicht wegen der fast verschwundenen Abendunterhaltungen in den Häusern und der Kneipe, sondern mehr noch wegen der Jungen, die nicht zuletzt durch das Fernsehen sozusagen ans Festland gelockt würden – mit Bildern vom großen Leben in den Städten und dem ganzen Werbekram. Manche Höfe auf Hallig Hooge stünden schon lange leer.

Lassen wir den Zweiflern ihre Zweifel. Bei allem Verständnis für sie gehört unser Mitgefühl doch wohl jenen von uns, von denen Klaus Sperschneider, ein Hamburger Fernsehverkäufer, erzählt hat, sie wären weinend zu ihm gekommen und hätten ein neues Fernsehgerät verlangt, weil sie die paar Tage Wartezeit bis zur Reparatur ihres alten Geräts nicht ertragen hätten. Reden wir nun also von denen, die noch wissen, was Fernsehen heißt, die voll und ganz zu uns gehören – von den Sträflingen des Jugendgerichtshofes in Wien etwa, von den Bewohnern Westberliner Altersheime und auch von Effi und Charlotte Traube in Ostberlin, zwei Frauen, deren wirkliche Namen wir nicht öffentlich aussprechen dürfen, weil die Aufsicht da drüben es sehr genau nimmt mit jeder Wortmeldung.

Zunächst aber, es ist ein kühler, bedeckter Vormittag, nach Wien. Ein Justizwachebeamter führt uns im Fernsehraum des Jugendgefängnisses fünf Häftlinge vor. Karl. Hassan. Oliver. Mikica. Herbert. Siebzehn- und Achtzehnjährige. Verurteilt wegen Raub, Diebstahl, Körperverletzung und Urkundenfälschung. Sie leben zu zweit, zu viert oder zu acht in einer Zelle. Jetzt dürfen sie sich setzen. Die Wache bleibt stehen. Auf dem Bildschirm erscheint ein federngeschmückter Häuptling, der Held des Filmes *An der Spitze der Apachen*. Es ist das auf Videoband gespeicherte Programm des vergangenen Abends. Vor den Gitterfenstern des Fernsehraumes liegt ein enger Hof, hellgrüner Plastikrasen auf dem Asphalt. Dort wird täglich geturnt. »Wenn es regnet«, sagt Karl, »gehen wir bloß im Kreis.« Aber der tägliche Hofgang, die Ballspiele dort, die Wettkämpfe, sind nichts gegen eine einzige Fernsehstunde. Jeweils Montag, Dienstag und Donnerstag werden die Sträflinge in den Fernsehraum eskortiert. »Das ist der wichtigste Teil der Haft«, sagt Herbert, »eine Vergünstigung.« Hassan schweigt. Und Oliver: »Wenn einer Schwierigkeiten macht, dann sind zwei Wochen Fernsehentzug die schlimmste Strafe, denn für die Zeit eines Filmes bist du ja völlig weggetreten, und wenn die Action gut ist, vergißt du auch, daß du eingesperrt bist, vergißt einfach alles.«

»Wir greifen an«, sagt der Häuptling. Die Wache lächelt:

»Das gefällt ihnen.« Im Hof wird es laut. Im Fernsehraum still. Draußen springen Bälle auf. »Bewegung, Bewegung!« schreit jemand, den man vom Fenster aus nicht sieht. »Tod allen Feinden«, sagt der Häuptling.

Dann Berlin West. Ein Regentag. Im Städtischen Seniorenheim an der Herbartstraße erwartet man uns schon. In einem kleinen Saal, an blumengeschmückten Tischen, sitzen neunzehn alte Frauen. »Sie besuchen uns hier«, sagt eine von ihnen, »und Sie sehen, daß es uns gutgeht. Wir klagen nicht.«

An vielen Stühlen lehnen Gehstöcke und Krücken. Über den Bildschirm am Ende des Saales flimmern an diesem Nachmittag Weltkriegsszenen. Erinnerungen an die Landung der Alliierten. Schlachtschiffe. Mündungsfeuer. Geschützlärm. »Ich ertrage das nicht«, sagt eine Frau und muß beim Aufstehen gestützt werden, »mein Mann ist im Krieg geblieben. Diese Soldaten. Wir waren Flüchtlinge.«

»Wir haben doch alle viel verloren«, versucht eine der Zurückbleibenden zu beruhigen.

Der Kriegslärm aus dem Fernsehgerät wird abgestellt. Die Bilder bleiben. Im Licht lautloser Landemanöver breitet sich das Gespräch über die Tische aus, hält einmal hier, dann dort, verzweigt sich, zerfällt in Selbstgespräche. »Sehen Sie nur, das Meer! Ach Gott, einmal noch möchte ich das Meer sehen. Wir haben die Sommer immer an der See verbracht.«

»Das Fernsehen hab' ich eigentlich erst hier im Seniorenheim gelernt. Es ist wunderbar. Aber Besuch wäre doch schöner. Manche von uns verfolgen auch noch die Tagesschau und die Politik – schließlich haben wir ja Nachkommen. Aber eine Auseinandersetzung damit lohnt nun wohl nicht mehr. Wir leben ja doch schon am Rande, verstehen Sie? Hier ist man immer müde. Leben Sie wohl.«

In Berlin Ost hört der Regen endlich auf. Der dreihundertfünfundsechzig Meter hohe Fernsehturm, das höchste Bauwerk der DDR, ragt in den Nebel. Am Schwarzen Brett eines *Dienstleistungsschaufensters* wird ein »Fernseh-ger. ›Debüt‹ z. Ausschlachten, noch funkt.tücht.« um zweihundert Mark angeboten, vor einem Gemüseladen im Stadtteil Pankow steht die Kundschaft um Orangen Schlange, und drei Häuserblocks weiter beugt sich eine Nachbarin weit über das Stiegengeländer, als wir an der Wohnungstür der Traubes klingeln.

»... die ließen uns ja nicht ran«, sagt die medizinisch-technische Assistentin Effi Traube Stunden später, »die standen da mit Gewehren und trieben uns zurück. So haben wir selbst den Bau der Mauer nur über den Westsender mitbekommen, hörten nur den Reporter, der ins Mikrophon sagte: Und jetzt rammen sie die Pfähle ein, und jetzt setzen sie einen Stein drauf und noch einen ... Ich saß da und habe den Fernseher angeschrien: Die sind wahnsinnig, die müssen ja wahnsinnig sein, die mauern uns ein! Und jetzt ist es so, daß wir hier in der DDR ohne Westfernsehen noch tiefer im Abseits säßen und keine Vergleichsmöglichkeiten und wahrscheinlich keinen Durchblick mehr hätten. Aber wenigstens die Fernsehwellen können unsere Brüder da oben ja wohl ebensowenig daran hindern, über die Mauer zu kommen, wie die Vögel.«

Effi Traubes Tochter Charlotte ist Tiefbauingenieurin. Sie erzählt von zwanzig und dreißig Meter hohen Antennenmasten, von mühseligen Anstrengungen, die in entlegeneren Gebieten der Demokratischen Republik unternommen würden, nur um die Westsender zu empfangen. Zufrieden hören wir zu. »Nur in Dresden, dort nützt alles nichts, dort ist kein Empfang, und deswegen heißt Dresden ja auch das Tal der Ahnungslosen.«

Am Abend sieht man uns in einem Trabant auf die Mauer zufahren. »Wenn Sie sich beeilen«, sagt Effi Traube, »kommen Sie drüben noch zum Spätfilm zurecht. Im Jahr 2000 werde ich sechzig. Dann lassen die mich raus. Dann komme ich nach.«

Kehren wir also in unsere Wohnzimmer zurück, und machen wir es uns dort wieder bequem. Versetzen wir uns aber aus dem Halbdunkel unserer Sicherheit noch einmal an einen Ort, von dem man böse gesagt hat, er sei die Endstation eines langen Lebens mit dem Fernsehen. Stellen wir uns also, nur ein Beispiel, einen sanft ansteigenden Hang vor, darauf weitverstreute, mehrgeschossige Jugendstilpavillons, dazwischen Kastanienalleen, die im Herbst schwarz von Saatkrähen sind, und schließlich eine Tür ohne Klinke, die sich hinter uns schließt. Jetzt sind wir im größten Irrenhaus Europas; es ist das Psychiatrische Krankenhaus der Stadt Wien, die Verwahranstalt »Am Steinhof«. Etwa 1600 Menschen leben hier, Patienten, Insassen; die meisten unter Zwang.

Das allgemeine Fernsehen, erzählt uns Primarius Langner bei Kaffee und Gebäck, sei hier vor zehn Jahren eingeführt worden, »... noch in der Schwarzweißphase. Seit vier, fünf Jahren verfügt jeder Pavillon über zumindest ein Gerät; es muß hoch stehen, um vor allfälligen Aggressionen sicher zu sein. Die Patienten hier schauen täglich und stundenlang zu. Viele von ihnen sehen wohl Bewegung, Figuren und Schatten, aber sie erkennen nichts mehr.«

Wir gehen durch die Alleen, gehen von Pavillon zu Pavillon, durch helle, kahle, saubere Säle und sind auch hier, was wir immer gewesen sind – Zuschauer. Wir sehen langsame Menschen in den Gängen, Kartenspieler in Anstaltskleidung, Gitterbetten, hinter deren Maschen »Selbstgefährder« liegen und starren, hören auch Schreie und Weinen. Die meisten aber sind still, in sich selber versunken, beruhigt. Vor manchen Tischen in den Tagräumen bleiben wir stehen, setzen uns, reden. An diesen Tischen vergehen die Jahre. Auf einem Bildschirm im Pavillon 22, vorschriftsmäßig hoch über den Köpfen, erscheint der Papst, eine ferne weiße Gestalt, singend und segnend.

»Wollen Sie, daß ich Ihnen Auskunft gebe über die Grausamkeit und die Wohltaten dieses Hauses?« wendet sich eine Greisin von diesem Anblick ab. »Wir sitzen alle in diesem Hause vor dem Fernseher. Aber niemand kann sagen, wer hier wirklich zuschaut. Ohne Fernsehen würde es doch keiner aushalten in der Welt. Alle wären sehr traurig. Gut, daß man uns nun den Heiligen Vater wenigstens im Fernsehen zeigt – das Selige hat man uns ja schon genommen.«

»Ich kann mir gar nicht vorstellen, daß ich hier bin, daß ich hier ein Narr bin«, kichert ein kleiner, gekrümmter Mann, »lebenszeitig war ich ein Vorgesetzter. Und jetzt bin ich hier ein Narr. Ich erinnere mich, daß wir vor der endgültigen Erfindung der Fernsicht gespielt haben und etwas getan, woran ich mich nicht mehr erinnern kann. Jetzt schaue ich fortwährend in die Ferne, am liebsten in die geheimnisvolle Tiefe des Herrn Cousteau.«

Im Pavillon 18 hebt ein ehemaliger Klavierbauer die Hand, zeigt auf, will etwas sagen: »Lehren bekommen wir erteilt im Fernsehen. Jeden Tag eine neue Lehre. Wenn das so weitergeht, dann fragt man sich, wie lange es noch dauern kann, bis wir das Endbewußtsein unserer Zeit erreicht haben.«

Das haben wir doch längst schon erreicht, winken wir aus unseren Wohnzimmern ab, die Welt liegt doch in Bildschirmgröße, entschlüsselt vor uns – jederzeit verfügbar, jederzeit löschbar. Und das Ende schaut uns längst aus allen Bildröhren an: Katastrophen und Kämpfe im Irgendwo, dazwischen Zahnpasta und Glamour. Keiner entzieht sich diesem Blick. Keiner entkommt.

Und was ist mit denen, fragt man uns, die es dem Schreiner Josef Werwein gleichtun? Ach die, sagen wir, eine verschwindend geringe, heillose Minderheit. Wer, außer Moormenschen und Asketen, verzichtet schon auf die Allgegenwart? Wir bitten um Nachricht. Die Unvernünftigen, sagen wir, sterben doch aus.

(1985)

Chiara

Ein Besuch in Süditalien

Scerbo erzählte später, daß er immer wieder nach der ockerfarbenen Staubfahne im Rückspiegel gesehen habe, die die Windungen und Halbkreise der ihm sehr vertrauten Straße nachzeichnete, über die Straßenränder hinausdrängte, über den verkohlten Feldern zur Ruhe kam und hinabsank. Dann habe er jäh abbremsen müssen. Die plötzliche Blutleere im Hirn und der vorangegangene Schrecken hätten seinen Besuch in Chiara eingeleitet.

Wie eine Welle, die gegen die *miseria* anrannte, sei die Prozession über die Straße, über die Hügelkuppe und nach Chiara hinunter. Er habe sich plötzlich wiedergefunden inmitten eines sich stetig fortbewegenden Stroms ihm teils gut bekannter Menschen, die das Hindernis seines Wagens schweigend oder betend umgingen wie einen Baum oder einen Stein. Die hölzerne Madonna, die über ihren Köpfen dahintrieb, habe sich ausgenommen wie eine jener übergroßen Lasten, die Ameisen scheinbar plan- und ziellos über Hindernisse schleppen, um sie dann, immer noch ganz ohne Einsicht in die Unmöglichkeit der Anstrengung, irgendwo zurückzulassen. Bei solchen Umgängen habe er früher selber einmal eine Fahne mit aufgestickten Heiligen vorangetragen. Keuchend mußte er sich damals gegen den Wind stemmen, der das Tuch immer wieder knatternd entfaltete. Unberührt von seinen Anstrengun-

gen, wurden hinter ihm undeutliche Litaneien hergesagt, und der *padre* schritt segnend die armseligen Felder ab, die

so trocken waren, daß sich Staubfontänen in die Luft erhoben, wenn man einen Stein gegen diese harte Erde warf.

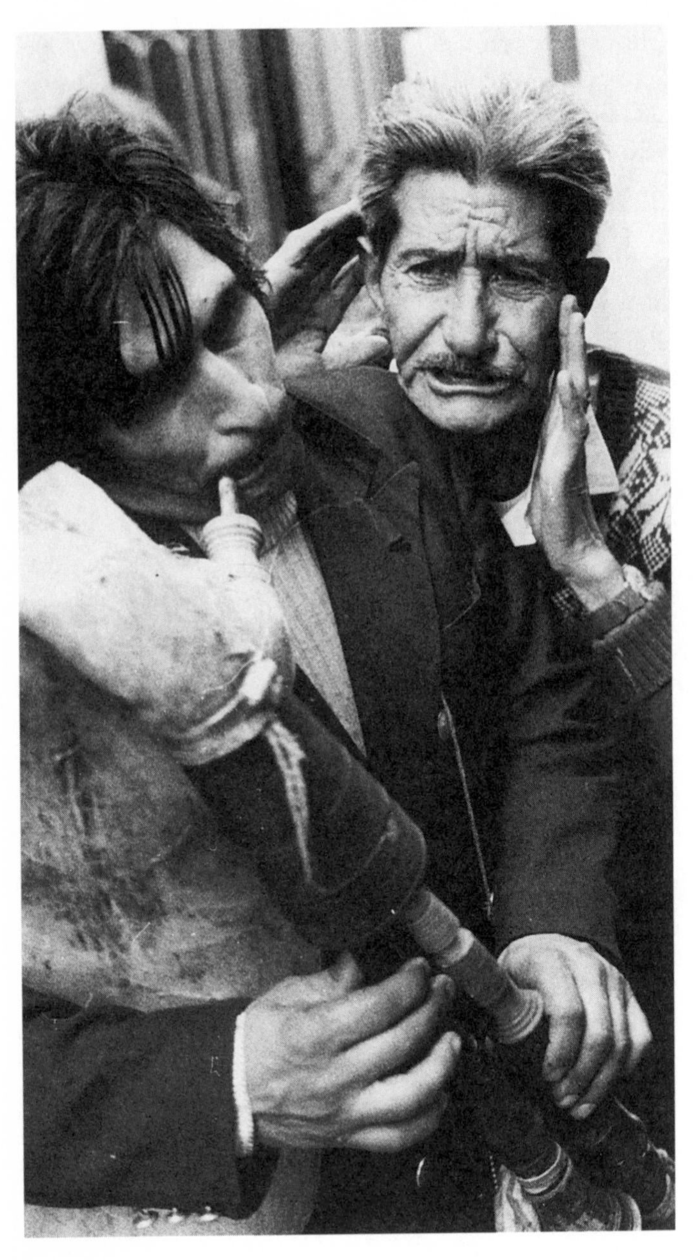

Chiara. Prozessionen lösen sich in Feste auf. In trinkende, tanzende und schwatzende Gruppen, die sich wie Fäuste zusammenballen und unter Gelächter wieder öffnen. Ohne diese kurzen, lärmigen Augenblicke der Betäubung wäre das Leben hier noch mühsamer: Von der Madonna war doch schließlich ebensowenig zu erwarten wie von denen in Matera oder gar in Rom. Die hatten mit dem Trostwort *riforma* immer wieder schöne Bilder und Hoffnungen heraufbeschworen, die sich dann in Hitze, Staub und vergebliche Anstrengung auflösten. Das wußte hier jeder. Viele hatten dem schon auszukommen versucht und waren in den Norden hinauf, nach Mailand, Turin oder Deutschland. Die meisten waren nach ein paar Jahren freiwillig zurückgekommen, andere hatte man gezwungen. Tommaso, mit dem Scerbo zwei Jahre in Mailand gearbeitet hatte, war schon seit einem Jahr wieder in Chiara. Aber zu Tommaso war jetzt nicht mehr durchzudringen: Die Müdigkeit, der Wein und das rhythmische Aus- und Einatmen hatten ihn in einen Zustand versetzt, in dem für ihn auch das Gebrüll seines Vaters unhörbar wurde. Der grob gegerbte, atmende Sack seiner *zampognia* schien ihn ganz aufzusaugen, während er spielte. Gegenwart war jetzt nichts mehr als eine heisere Melodie und Müdigkeit.

Der Wind hatte sich noch nicht gedreht. Es mußte also noch heißer werden. Das Wasser war knapp und kam höchstens an drei Stunden täglich warm und schal aus der Leitung. Die Menschen kauerten vor ihren Häusern, als ob ein Unglück im Anzug wäre, das einen wenigstens zu Hause treffen sollte.

Die Gasse, das ist der Gehörgang des Dorfes. Sie sieht überall hinein, überwacht die alltäglichen Abläufe und bewertet sie. Nichts entzieht sich ihrer Kontrolle. Die Öffentlichkeit verästelt sich bis in die letzten Winkel der dunklen Räume, in denen Tür und Fenster oft eins sind. In den schwarzen Öffnungen, die ins Dorf hinaushorchen, tauchen manchmal kurz Gesichter auf, um zu sehen, von wem die hereingedrungene Nachricht stammt.

Das Durcheinander von Körperhaltungen, Blickrichtungen und Sätzen löst sich plötzlich zugunsten einer einzigen Richtung auf, in die alle Aufmerksamkeit zusammenschießt: In Chiara horcht man noch immer auf, wenn einer aus dem Norden zurückkommt. Gespräche nehmen unvermittelt andere Verläufe. Nur Giovanna geht verhärmt wie immer vorbei und scheint ihn kaum zu bemerken. *»Eh, Saro.«* Das ist alles. Sie ist eine von den *signorine de maritare*, den alten Jungfern, die zu spät gekommen sind und sich den Spott leichter zuziehen als andere. Hier kann es sich niemand, und eine Frau schon gar nicht, leisten, allein zu bleiben.

Scerbo wußte, daß jeder von denen, die ihn da plötzlich anstarrten, eine andere Geschichte im Kopf hatte; sie würden alle diese Geschichten bereden und sich schließlich auf eine gemeinsame Version einigen, in der aber immer noch Rosario Scerbo die Hauptrolle spielen würde. Saro, der jetzt in Mailand soviel verdiente wie hier drei Männer zusammen – das heißt, wenn sie Glück hatten und überhaupt Arbeit fanden.

GiS
GiS

In diesem mit Kahlheit vollgestopften Raum, in dem man sich zurechtrücken mußte wie ein Möbelstück, hatte Scerbo einmal gehen und sprechen gelernt. Hier gab es entweder die grellen Heiligen- und Madonnenbilder – als Hoffnung auf ein besseres Jenseits – oder die sorgfältig ausgebesserten und abgenutzten Dinge des wirklichen Lebens, in dem sich seit damals nicht viel verändert hatte. Dazwischen war nichts. Selbst die immer bleicher werdenden Fotos wurden zu Heiligenbildern, auf denen sich alles verklärte. Hier drinnen mußte man sich nach ebenso genauen Regeln bewegen wie draußen. Tagsüber hatte er noch nie jemanden auf den Betten sitzen sehen, und die Decke über dem Sofa wurde jedesmal zurechtgezogen, wenn sich einer davon erhob. Scerbo war in den letzten Jahren stets nur für wenige Tage hierher zurückgekommen. Manchmal nur, um in den Köpfen seiner Eltern jene tröstliche Illusion wachzuhalten, daß es Rosario besser, immer besser ging. Saro, der einmal alles genauso machen würde, wie sie es selbst auch getan hatten.

Teresa und Antonella haben in großen Kesseln Tomaten zu *salsa* verkocht und sich dabei Geschichten erzählt. Später werden sie auf die Felder gehen und dort die Erde lockern; Weinranken festbinden, auf dem langen Rückweg noch Kapern pflücken und Futter für den Esel schneiden. Auch eine Mauer muß noch gekalkt und in Eimern Wasser geholt werden: Die tägliche Ration aus der Leitung hat heute nicht gereicht.

Manchmal kommt ein mit Frauen vollgestopfter Bus schon um vier Uhr morgens und läßt halbleere Dörfer zurück: Taglöhnerinnen werden auf die entlegeneren Felder der *padroni*, der Großgrundbesitzer, gebracht. Manchmal kommt der Bus auch nicht. Dann gehen die Frauen wieder in ihre Häuser zurück. Dann gibt es keine Arbeit.

So sorgfältig man mit den Dingen und Tieren, von denen man leben wollte, auch umgehen mußte, so wenig Gefühl durfte man an sie verschwenden. So selbstverständlich wie ein Kind trug Mastrosimone sein Ferkel vom Schweinemarkt, der auf den zerstampften und zerwühlten Hügeln vor dem Dorf stattfand, nach Hause. Mit der gleichen Selbstverständlichkeit würde er ihm irgendwann einen Eisenkeil ins Hirn treiben, und seine Frau würde dann mit einem dünnen Stock in der geöffneten Halsschlagader wühlen, um das Verklumpen des Bluts zu verhindern.

Es war dieses narbige Land, das in unruhigen, abbröckelnden Wellen auf einen zukam, das die Menschen früh alt und müde werden ließ. Wer hier leben wollte, ein wenig besser als gewohnt leben wollte, der mußte eine Zeitlang fortgehen. Hierbleiben bedeutete die Bereitschaft, immer noch mehr zu ertragen und auszuhalten, ohne dafür etwas anderes zu erwarten als noch mehr staubiges Leben, noch mehr Arbeit. Es war dieses Land, das sie meinten, wenn sie sich oben in Mailand oder Turin mit der Schmähung *»solo i fessi stanno laggiù«* – dort unten bleiben nur die Idioten – gegen Zweifel und Heimweh stark machten. Eigentlich wollte jeder hierher zurück, hatte den Kopf voll mit Bildern von Häusern, Werkstätten oder Feldern. Die Felder wurden aber davon nicht größer; sie bildeten, manchmal klein wie der Boden eines Zimmers, einen zusammengestückelten, verdorrten Teppich, der sich gegen die ebenen, weitläufigen Anbauflächen der *padroni* wie ein Irrgarten ausnahm. Daran hatte auch die große *riforma agraria* nicht viel ändern können, denn von dem zugeteilten Boden konnte man auch nur in fruchtbareren Gegenden leben. Auf den Plänen waren die Grundstücke vielleicht einmal gleich groß, rechteckig und gleich weiß gewesen. Aber hier unten, in dieser Dürre, unter diesem Himmel, wurden sie verschieden wie Gesichter.

(1979)

[Fotos von Herwig Palme]

Die Neunzigjährigen

Fünf biographische Notizen

Die Nachricht von der Ermordung des Thronfolgers Franz Ferdinand in Sarajevo hatte sie auf einem Jahrmarkt im oberen Waldviertel erreicht, vom Ausbruch des Ersten Weltkriegs hatte ihr der Dorfbäcker im niederösterreichischen Bockfließ berichtet, und viel später war es ein Lautsprecher im Freibad Hietzing, der Hitlers Kriegserklärung nachplärrte – nur an das Feuerwerk in der Silvesternacht zum Jahr 1900 kann sich Therese S. nicht mehr so genau erinnern.

Sie war damals die zehnjährige Tochter eines kaiserlichen Zimmeraufsehers, der seinen Stolz aus dem Umstand bezog, daß man ihm die Verantwortung für den gepflegten Zustand jener Gemächer der Wiener Hermesvilla übertragen hatte, in denen sich die legendäre Kaiserin »Sisi« zeitweise aufhielt. Der magische Glanz, der von dieser Beschäftigung ausging, trug wesentlich zum Lebensgefühl und Selbstverständnis der Familie bei, in der Therese als Einzelkind im Mittelpunkt aller Aufmerksamkeit stand. Als Ehefrau eines »Postoberoffizials« empfand es Therese S. schließlich als Bestrafung, lange Jahre in jenem Dorf zubringen zu müssen, in das die schlechte Beschäftigungslage und nicht zuletzt der Krieg ihren Mann versetzt hatten. Aber das Leben in der »Provinz« brachte immerhin den

Vorteil einer sicheren Ruhe, die selbst in diesem »furchtbaren zweiten Krieg« kaum gestört wurde.

Jetzt sind die Nachkommen gezählt und ihre Bilder in den stoffüberzogenen Alben verwahrt, in denen die Erinnerung beweiskräftig wird. Vor diesem Kirchenportal zum Beispiel hat Therese S. ihren Vater zum erstenmal weinen sehen, und hier, ernst und steif, der Postoberoffizial S. – der »Gatte«. Der mußte die letzten Jahre seines Lebens bewegungs- und fluchtunfähig im Bett verbringen und malte mit Buntstiften wunderbare Meeres- und Gebirgslandschaften, die Therese S. manchmal betrachtet, »wie durch ein Fenster«.

Beim Durchblättern einer Zeitung entdeckte Luise L. plötzlich, daß sie das alles nicht mehr interessierte. Damals fühlte sie sich zum erstenmal alt. Seit dem Tod ihres Mannes, seit mehr als zwanzig Jahren, lebt Luise L. allein, und eine Angst, die sie vor dem Tod längst nicht mehr spürt, überkommt sie nur, wenn sich im Hof draußen eine Ratte mit einem Stück Abfall davonmacht. Wenn Luise L. das Wort »häßlich« ausspricht, denkt sie an Ratten.

Als junge Frau hatte sie in einem eigenen Laden Kunstfedern und Schmuckblumen verkauft. Aber welche Frau steckte sich dann in diesem Ersten Weltkrieg schließlich noch Kunstfedern und Schmuckblumen an den Hut? Luise L. mußte ihr Geschäft schließen.

Ihren Mann – einen Budapester Buchbinder – lernte Luise L. zu einer Zeit kennen, als die ungarischen Bauern noch den Zehent abzuliefern hatten, und als »Vertrauensmann« der Sozialistischen Partei brachte er sie schließlich auch dazu, in diese »Gemeinschaft der Arbeiter« einzutreten, für die Luise L. dann Jahre und Jahre Mitgliedsbeiträge einsammeln ging. Luise L. weiß, daß die Zeiten besser geworden sind. Aber den Menschen, *den Menschen* ändern? »Das werden wir wohl nicht mehr.«

Wenn auf dem Tisch ein paar Prospekte liegen, dann ist Luise L. davon überzeugt, daß heute »viel Post gekommen« ist. Und wenn sie – was selten geschah – Gelegenheit hatte, sich zu dieser Welt, die jetzt nur noch im Fernseher vorüberflimmert, zu äußern, dann tat sie es im Bewußtsein, »jedes Wort verantworten« zu können.

Sie hat jetzt kein Heimweh mehr nach ihren Erinnerungen. Sie ist froh, daß »das vorbei ist«. Und die Stille, die sie umgibt, Luise L. ist fast taub, hält an, nimmt zu. Nachts, wenn sie nicht schlafen kann, liegt sie mit offenen Augen im Dunkeln, das phosphoreszierende Zifferblatt des Weckers vor sich, auf dem sie sieht, »wieviel Zeit« sie noch hat.

Die Kinder des böhmischen Maurermeisters K. – sieben waren es schließlich – warteten mit ihrem Blechgeschirr allabendlich darauf, daß die Mutter mit dem Melken fertig würde. Nach einem »Schöpfer« Milch und genug Schwarzbrot wurden die Füße im Teich gewaschen. Dann kam »unverzüglich« die Nacht. Anton K. – das letzte der sieben Kinder – erinnert sich noch genau an dieses Ritual.

Jetzt – einen Lebenslauf später – hat Anton K. das Gefühl, so gelebt zu haben, »wie es sich gehört«: Er hat »nie getrunken«, er hat »nie geraucht«, war »nie politisch«, hat sich im Krieg zur Sanität gemeldet und viele Sonntagvormittage seines Lebens im Museum verbracht. Sportlich ist er immer gewesen. Die Kniebeugen, Rumpfbeugen, Wipp- und Drehbewegungen zeigt Anton K. heute noch vor – als Indizien seiner Gesundheit: »Fersen schließen! Arme ausstrecken! Nieder! Vor! Zurück und vor!« Die Kommandos sind ihm geläufig wie je. Schließlich hat er sie beim Militär selbst oft genug gegeben.

Das Militär! Anton K. erinnert sich noch an einen täglichen Sold von acht Kreuzern und an die »ausreichenden Mahlzeiten« in der kaiserlichen Armee: Kraut, Erdäpfel und die gelben, am Feld getrockneten Erbsen.

Der gelernte Faßbinder hat bis zu seiner Pensionierung als Pfleger gearbeitet. 1908 – ein Jahr nach der Eröffnung der »Niederösterreichischen Heil- und Pflegeanstalt Steinhof«, des Irrenhauses am Steinhof, nahm der damals achtzehnjährige Anton K. den grauen Arbeitsmantel eines Pflegers und die dazugehörende Dienstkappe entgegen. Schon damals war er überzeugt, daß sich – »wenn einer den Verstand verliert« – die schlimmste Katastrophe vollzieht, die in einem Leben möglich sein kann. Und mit Katastrophen hat Anton K. nicht erst seit dem frühen Tod seiner Frau umzugehen gelernt: Lag einer der Patienten

wieder einmal gekrümmt und mit geballten Fäusten am Boden, den Schaum vorm Mund und alle »Gewalt eines Hirns« im Gesicht, dann wußte Anton K. stets, daß man in »solchen Fällen« keinesfalls den Versuch unternehmen durfte, die geballten Fäuste zu öffnen. Weil in diesen Augenblicken der Wahnsinn unzerstörbar schien und man den Menschen eher noch die Finger gebrochen als die Fäuste geöffnet hätte, nahm Anton K. sie manchmal einfach in die Arme.

Mitten hinein in die schönen Jahre, die »schönsten Jahre« in der Schweiz, nach Sankt Moritz und nach Chur, wo Luise M. als Saisonköchin beschäftigt war, kamen die Liebesbriefe. Ein Tapezierer, der sich mit Luise M. im steirischen Ort Gratkorn Schulzeit und Jugend geteilt hatte, hoffte und verlangte in diesen Briefen, daß Luise M. zurückkäme. Die Saisonköchin – Tochter eines Gratkorner Fabrikstischlers und Schwester von vier Brüdern, die alle innerhalb eines einzigen Weltkriegsjahres zugrunde gehen sollten – war damals gerade glücklich. Sie, die zuvor auf niederösterreichischen Schlössern als Kindermädchen »gedient« hatte, fühlte sich zum erstenmal geachtet. Sie war eine gute Köchin.

Wenn sie heute noch einen Wunsch frei hätte, dann möchte sie noch einmal zurück in die Schweiz. Aber damals war sie nach Österreich zurückgekommen. Zu *ihm*.

In seiner Tapezierwerkstätte stopfte sie Fensterpolster und Kindermatratzen und betrieb schließlich mit ihren Ersparnissen kurz und erfolglos ein Lebensmittelgeschäft, dessen Kundschaft manchmal sogar das Salz anschreiben lassen mußte. Die Zeiten waren nicht nach Geschäften, und Luise M. war nicht nach den Zeiten. Sie verlor ihre Ersparnisse.

Aber als Tapezierersfrau hätte sie alt werden können, wäre nicht ihr Mann noch in den letzten Tagen des Zweiten Weltkriegs zu jenem »Manöver« nach Preßburg befohlen worden. Erst Jahre nach diesem Abschied, der nur für Tage hätte gelten sollen, berichtete ein »Heimkehrer«, daß er den Tapezierer im russischen Vitepsk beim Ausschmücken eines Theaters gesehen habe. Einen Brief, den ihm der Tapezierer für Luise M. mitgab – der Heimkehrer bedauerte es – habe man ihm an der Grenze abgenommen. Die Qual der vielen Mitteilungen, die Luise M. in diesen Brief hineinwünschte, manchmal hineinfürchtete, verschwand am Ende auch durch die Gewißheit nicht, daß ihr Mann der »Strapaze dieses Lebens« längst erlegen sein mußte.

Krankenhaus Lainz, Pavillon fünf, zweiter Stock: Die Koordinaten eines Besuchs. Jalousien werden hochgezogen. Erschreckt öffnen sich in den Betten einige Gesichter.

Ein zehn Tage alter Antwortbrief Aloisia G.s, in dem sie diesen Besuch erwartet, ist nur noch das ungültige Dokument einer vorübergegangenen Besserung.

Aloisia G. läßt zwei, drei Sätze nach den ersten Worten wieder fallen, beginnt eine Handbewegung, läßt sie. Der Saal ist durch zwei einander gegenüberliegende Bettreihen geteilt. Zwölf Frauen. Aloisia G.s Bettnachbarin erzählt gerade zum drittenmal, daß ihr Sohn sie täglich besuchen wollte. Die anderen liegen, atmen, als ob die unterschiedlichen Stadien ihrer Krankheit allmählich zusammenlaufen würden in eine gemeinsame Agonie.

Das einzige leerstehende Bett gehört zu einer Frau, die am Tisch sitzt. Dort haben Besucher Blumen, Orangen und die Sehnsucht nach etwas hinterlassen, das hier schon nicht mehr »Leben«, sondern einfach »Zuhause« heißt.

Zu Aloisia G. sprechen die Schwestern wie zu einem verängstigten Kind. Sie verwenden dabei ein beruhigendes »Wir«: »Wir werden jetzt ein wenig schlafen. Es geht uns schon viel besser.«

Die Frau am Tisch geht steif zu ihrem Bett zurück. Aufstehen können, gehen können – wer dazu imstande ist, darf noch hoffen. Hängt doch am Gehen ein letzter Rest von Brauchbarkeit, von Nützlichkeit. Und darauf ist es schließlich ein Leben lang angekommen.

Im Saal riecht es nach gekochtem Gemüse. Eine auf dem Bettzeug liegende Illustrierte verspricht über das Unglück Prinzessin Carolines zu berichten. Vor den Fenstern: Ein Stück Park. Helligkeit. Der nächste Pavillon. (1980)

[Fotos von Willy Puchner]

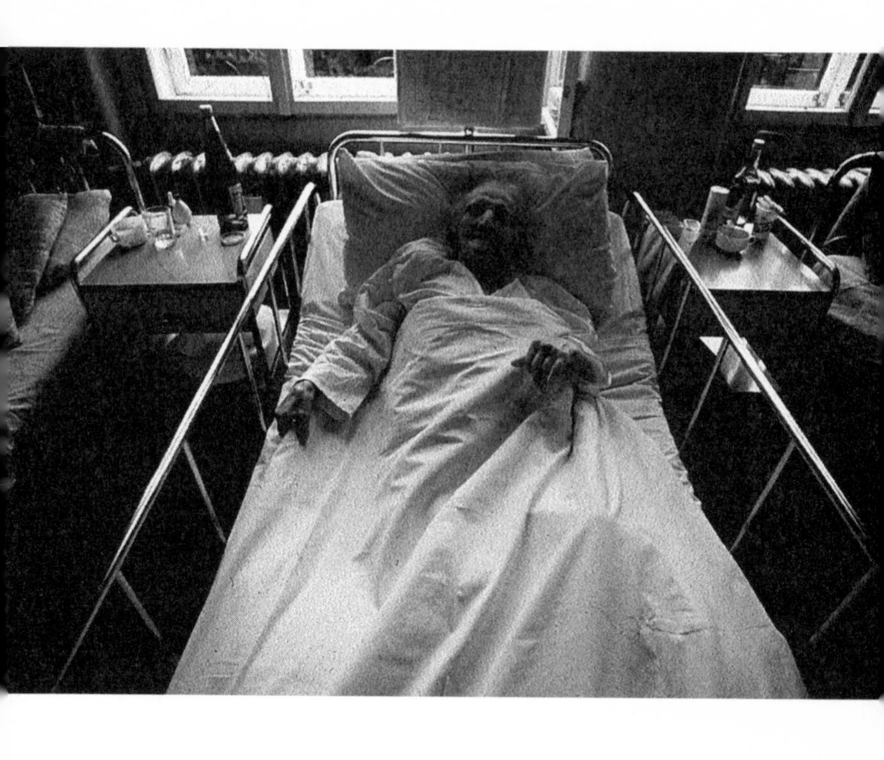

Przemyśl

Ein mitteleuropäisches Lehrstück

Am Allerheiligentag des Jahres 1918, zwei Wochen bevor Ludwik Uiberall an einer Schußwunde verblutete, begann auf dem Ringplatz von Przemyśl das Goldene Zeitalter. So jedenfalls verhieß es ein Advokat, der unter den Zedern des Ringplatzes am Abend dieses milden Novembertages vor Fackelträgern und großem Volk eine Rede hielt. In Przemyśl kannte man Herman Lieberman, den Redner, als den Führer der Sozialdemokratischen Partei Galiziens und als einen höflichen Mann, der jeden Vormittag im Grand Café Stieber die Zeitung las, in der Bahnhofsrestauration Kohn zu Mittag speiste und vor Jahren vergeblich versucht hatte, Helene Rosenbaum aus dem Gizowski-Haus zu heiraten. Aber die Leidenschaft, mit der der Herr Advokat an diesem Abend sprach, war den meisten seiner Zuhörer fremd. Ein Goldenes Zeitalter! Schön, sehr schön hatte der Beginn dieser Ansprache geklungen. Der Herr Advokat hatte die Worte eines römischen Dichters, Verse, lange Verse, von einem immer wieder glattgestrichenen Zettel abgelesen und gesagt, so oder zumindest so ähnlich müßte es nun auch in Galizien werden: »Im Goldenen Zeitalter gab es keine Helme und kein Schwert. Ohne Soldaten zu brauchen, lebten die Völker sorglos und in sanfter Ruhe dahin ...«

Die Freie Republik Przemyśl, rief Lieberman dann und hob die Arme wie ein Kapellmeister, der nicht mit dem Taktstock, sondern mit der leeren Faust das Zeichen zum Einsatz gibt, – die Freie Republik Przemyśl, deren Gründung hier und heute mit solchem Jubel begangen werde, habe die österreichisch-ungarische Herrschaft abgeschüttelt, um endlich in die Welt zu setzen, was in Wien und Budapest immer wieder versprochen, hoffnungslos zerredet und in den Ländern Mitteleuropas, den Ländern der sogenannten Krone, niemals verwirklicht worden sei: ein friedliches Miteinander freier, gleichberechtigter Völker in einem vielstimmigen und demokratischen Staat. Die Polen, Ukrainer und Juden der Stadt, selbst die kroatischen, ungarischen oder böhmischen Soldaten der aufgelösten kaiserlichen und königlichen Garnison würden in dieser Republik eine gute, vor allem aber eine gemeinsame Zukunft finden, und ... Der Advokat machte eine kurze, atemlose Pause, ließ die Arme sinken und sagte dann langsam, mehr zu sich selbst als zur plötzlich unruhig gewordenen Menge: Und später vielleicht eine Heimat.

Die vielstimmige Heimat, die Völkerfamilie, blühende Donauländer und das Erbe des habsburgischen Untergangs, alles in allem: das freie Mitteleuropa. Lieberman rührte an die Bilder einer alten Sehnsucht, mit denen auch viele Redner der österreichisch-ungarischen Vergangenheit ihre Reden verziert hatten und mit denen noch viele Redner und Schreiber der mitteleuropäischen Zukunft ihre Reden und Schriften verzieren würden. Aber nicht diese Bilder hatten die Menge plötzlich unruhig werden lassen, sondern bloß einige ukrainische Fuhrknechte, die zwei Fackelträger gegen die Toreinfahrt des Branntweiners Fedkowicz gedrängt hatten und ihnen dort das Feuer zu entreißen versuchten. Ob die Fuhrknechte betrunken waren oder vom utopischen Glanz der Rede Liebermans geblendet, war aus der Höhe des Rednerpultes nicht zu erkennen. Lieberman tat, was viele Redner tun, wenn sich das Volk endlich bewegt: Er wartete ab.

Die Fuhrknechte zogen sich schließlich vor der aufmerksam und böse werdenden Übermacht der Fackelträger in den tiefen Schatten eines Arkadenganges zurück. In einer Lache vor dem Tor des Branntweiners verlöschte ein Pechstumpen. Stoßweise, wie den Beginn einer Litanei von Verwünschungen, schrie eine helle Männerstimme die ersten Takte eines ukrainischen Liedes aus dem Dunkel der Arkaden: *Schtsche ne wmerla Ukraina* ... Noch ist die Ukraine nicht gestorben! Die Hochrufe der Republikaner von Przemyśl machten aber auch diesen Störversuch rasch unhörbar.

»Genossen, Mitbürger, Freunde!« wiederholte Lieberman, nun wieder laut und sicher, die gewohnte Ordnung der Anreden, die er auch im Grand Café Stieber jedesmal gebrauchte, wenn er aus der gedämpften Privatheit der demokratischen Herrenrunde des *Roten Tisches* unvermutet ausbrach und sich mit erhobener Stimme an das große Kaffeehauspublikum wandte. Allmählich erstarb das Geschrei auf dem Ringplatz. Der Lärm der Begeisterung wich einer trägen Ruhe, die sich um das Rednerpult ausbreitete wie die Flüssigkeit um ein im jähen Wechsel von Hitze und Kälte zersprungenes Gefäß.

»Genossen, Mitbürger, Freunde! Die Monarchie hätte zum Herzen Europas werden können, aber sie hat ihre Chance verloren und vertan. Die Monarchie hat ihre slawische Majorität verleugnet und an die Stelle einer friedlichen Gemeinsamkeit der Völker nur die schäbige Pyramide der Nationen gesetzt, an deren Spitze das sogenannte Staatsvolk thronte – die Deutschen. Die Monarchie, Genossen, hat nicht erkannt, daß keines der mitteleuropäischen Völker stark genug ist, um ein anderes zu beherrschen; hat nicht erkannt, daß aus diesem Grund allein schon die politische Vernunft die Versöhnung und die Gleichberechtigung dieser Völker gebot. Und so mußte die Monarchie zugrunde gehen wie jedes Reich, das sich der Einsicht in die Notwendigkeit der Zeit verschließt. Nun ist es an uns, Genossen, aus den Trümmern dieses Reiches ein neues Mitteleuropa zusammenzufügen, das den Krieg als die Folge dieser unseligen Hierarchie der Nationen erlebt hat und das nun auch ohne den Zwang einer Dynastie zu seiner Einheit finden wird. Und Przemyśl, Genossen, Mitbürger und Freunde, wird das Vorbild und erste Beispiel einer solchen Völkergemeinschaft sein . . .«

Mit halblauten Zwischenrufen wie *Der Lieberman plauscht wieder* oder *Ach, Lieberman* hatte Jaroslav Souček, der tschechische Arzt des Garnisonsspitals, solche und ähnliche Reden des Sozialdemokraten im Grand Café Stieber gelegentlich vom Billardtisch aus unterbrochen und dann quer durch die von drei Kristallustern geschmückte Weite des Raumes kurze Gegenreden gehalten, ohne allerdings der Einladung Liebermans jemals Folge zu leisten, seine Einwände doch im Kreis der Demokraten vorzutragen. Souček sprach grundsätzlich aus der von silberblauen Schwaden verhangenen Ferne des Billardtisches und schien dadurch seltsam entrückt.

»Die mitteleuropäischen Völker wollen doch weder einen dynastischen noch einen demokratischen Vielvölkerstaat«, hatte der tschechische Arzt erst letzte Woche, an einem verregneten Montagvormittag, gesagt – »sondern sie wollen schlicht und einfach ihre eigenen, autonomen, blöden kleinen Nationalstaaten, ihre eigenen scheppernden Industrien, korrupten Parlamente und lächerlich kostümierten Armeen. Schauen Sie sich doch um, Herr Lieberman, was sehen Sie? Sie sehen Mitteleuropa – ein Bestiarium: Die Tschechen fluchen auf die Slowaken, auf die Polen, auf die Deutschen; die Polen auf die Litauer und Ukrainer; die Slowaken auf die Ungarn; die Ungarn auf die Rumänen; die Kroaten auf die Slowenen, Serben und Italiener; die Serben auf die Albaner und Montenegriner; die Slowenen auf die Italiener und Bosniaken, und immer so fort, und die Deutschen fluchen auf die Slawen insgesamt, alle Feindschaften gelten natürlich auch umgekehrt und werden von allen Beteiligten mit immer neuen und immer hirnloseren Vorurteilen gepflegt. Gemeinsam ist den Angehörigen dieser famosen Völkerfamilie doch nur, daß sie bei jeder günstigen Gelegenheit über die Juden herfallen. Der Pogrom ist aber auch schon die einzige Unternehmung, zu der sich die Familie gemeinsam bereit findet. Ein friedliches Miteinander? Einige von diesen fahnenschwenkenden und ihre Hymnen grölenden Haufen haben ihren Nationalcharakter doch eben erst entdeckt und nun nichts Eiligeres zu tun, als diesen Muff unter der Käseglocke eines eigenen Staates bis zum nächsten Krieg, bis zur nächsten Judenhetze, bis zum nächsten Raubzug zu bewahren. Blind bleiben sie dabei füreinander; blind und blöd. Die Nation! Ach, Lieberman, was für eine Blödheit. Aber vorläufig bleibt es eben modern, diese Blödheit hochzuhalten und mit ihr den Glauben an eine eigene, besonders ruhmreiche Geschichte, den Glauben an einen ganz besonders genial gewundenen eigenen Weg von der Affenhorde zum bissigen Nationalstaat. In jenem Europa, von dem Sie reden, Verehrtester, liegt Böhmen am Meer und Triest im Gebirge. Ihre Reden sind nicht auf der Höhe der Zeit. Und die Zeit, Herr Demokrat, ist gewiß nicht auf der Höhe Ihrer Reden.«

Spitalsarzt Souček hatte an diesem Montagvormittag seinen Ausfall mit einem plötzlichen Stoß seines Queues beendet, war ganz in sein Spiel zurückgesunken und keiner Antwort des protestierenden *Roten Tisches* mehr zugänglich gewesen.

Wie das Opfer einer großen Verbrennung überragte Herman Lieberman an seinem Rednerpult das flackernde, rauchende Feld der Pechfackeln. Von Souček würde an diesem Abend kein Zwischenruf kommen. Der Arzt war vor einigen Tagen mit seiner Einheit abgerückt und hatte seine Kameraden vergeblich daran zu hindern versucht, alle tragbaren Einrichtungen des Garnisonsspitals mit sich zu schleppen. Schwerbeladen, singend und im Marschtritt waren die Tschechen aus dem Chaos der Zeit ihrem eigenen Staat entgegengezogen.

»Wir haben uns hier versammelt«, schrie Lieberman in die Wildnis aus Flammen, Gestalten, Gesichtern und springenden Schatten, »um zu bezeugen, daß Mitteleuropa nur durch die Einheit seiner Völker davor bewahrt werden kann, zum Manövergelände fremder Armeen und Interessen zu verkommen. Die Freie Republik Przemyśl, das Lehrstück der Völkergemeinschaft, lebe hoch!«

Vivat und *Hurra* tobte es von unten zurück. Fackelträger schwenkten ihre Lichter über den Köpfen oder schrieben Feuerkreise und Spiralen in die Luft. Triumphal und im falschen Takt, so, als ob ein längst erwartetes Zeichen doch übersehen worden wäre und das Versäumte nun mit gesteigertem Tempo nachgeholt werden müßte, setzte eine Blechkapelle ein. Schmal ragten die Zedern des Ringplatzes aus dem Jubel in den dunklen Himmel Galiziens.

Gewiß – die abendliche Feierlichkeit dieses Allerheiligentages kann auch anders verlaufen sein: Vielleicht wurde die Republik ohne Blechmusik ausgerufen, vielleicht standen auch die Zedern des Ringplatzes damals schon nicht mehr, hieß der tschechische Arzt nicht Souček, sondern Palacký oder anders, und vielleicht waren es auch keine Fuhrknechte, sondern uniformierte Mitglieder der *Sitsch*, der paramilitärischen ukrainischen Feuerwehr gewesen, die mit den Fackelträgern handgemein geworden waren. Gleichwie, Tatsache bleibt, daß die vom Sozialdemokraten Herman Lieberman mit allem Pathos ausgerufene Freie Republik Przemyśl die Nacht vom Allerheiligen- auf den Allerseelentag des Jahres 1918 nicht überstand. Denn noch vor Anbruch des ersten Tages dieser Republik drängten aus allen Dörfern ukrainische Bauern, Landarbeiter und Handwerker in die Stadt – Nationalisten aus Wirotschko und Jaksmanytschi, aus Posdjatsch, Stanyslawtschyk und Kormanytschi, die, von einem zweiten Advokaten namens Doktor Zahajkiewicz angeführt, bewaffnet und unbewaffnet über Przemyśl herfielen und gegen den Vielvölkerstaat des Advokaten Lieberman Einspruch erhoben: Przemyśl sei immer ukrainisch gewesen. Przemyśl werde immer ukrainisch bleiben.

Die Ukrainer besetzten also das Rathaus, die Bezirkshauptmannschaft, das ausgeräumte Garnisonsspital, den Bahnhof samt Restauration und stellten die erst am Vorabend gebildete Regierungskommission der Freien Republik – vier versöhnlerische Ukrainer, vier Polen und Lajb Landau, den Führer der jüdischen Partei – unter Hausarrest. Auch der Name der Freien Republik wurde getilgt und durch *Peremyschl* ersetzt.

»Ausgerechnet Doktor Zahajkiewicz!« hieß es auf einem Flugblatt, das später im Grand Café Stieber beschlagnahmt werden sollte, »... Zahajkiewicz, der sich schon auf Kostümfesten und folkloristischen Umzügen stets als ukrainischer Hetman zu verkleiden beliebte – ausgerechnet dieser

Karnevalsnarr führt nun die ukrainische Horde gegen die Stadt ...«

Das Ende des Kampfes um Przemyśl war absehbar wie das Ende aller Kämpfe um die Utopie: Selbstverständlich duldeten die Polen nicht, daß Przemyśl unter ukrainische Herrschaft kam. *Peremyschl!* Allein der Klang war barbarisch. Diese verfluchten Ukrainer. Das waren doch nur ruthenische Bauerntölpel, Lemken und Bojken, die sich einen nationalen Namen und eine Fahne zugelegt hatten und jedem, der ihnen das Wort nur deutlich und lange genug vorsagte, *Ukraina* nachgrunzten. Aber Przemyśl war immer polnisch gewesen. Und Przemyśl würde immer polnisch bleiben.

Nach zwei Wochen ukrainischer Herrschaft, wachsender Verwirrung und täglichen Schlägereien zwischen den nationalen Lagern drangen polnische Truppen unter dem Kommando eines Generals namens Rój in die Stadt ein, prügelten die Tölpel in ihre Dörfer zurück und stellten den Advokaten Zahajkiewicz unter Hausarrest. Auf der Szajbówka-Heide und am Franz-Josephs-Kai am Ufer des San fielen auch Schüsse. Aber zu Tode kam nur ein Mann. Das Protokoll der Eroberer überlieferte seinen Namen: Es war der *Pole mosaischen Bekenntnisses Ludwik Uiberall*, den ein Bauer aus Balytschi, der sein mit Flußsand beladenes Ochsengespann über eine Schotterbank an den Franz-Josephs-Kai heranführte, nach zwei kurz aufeinanderfolgenden Schüssen auf das Gesicht fallen sah. (1985)

Der Held der Welt

Vermutungen über den letzten Tag von Konstantinopel

Er hat Stille befohlen. Also ist es still. Still das Heer; es sind mehr als einhunderttausend Mann. Still der Troß; vierzigtausend. Still selbst die Pferde, denen ihre anatolischen Reiter die Nüstern zugebunden haben. Und das Herz dieser großen Stille ist er, Sultan Mehmet der Zweite, Mehmet *der Eroberer*, der *Herr der Horizonte* und *Held der Welt*, ein einundzwanzigjähriger Jüngling im dritten Jahr seines Sultanats. Er ruht in einem scharlachroten Zelt, dessen Pracht die Geschichtsschreiber in die Jahrhunderte überliefern werden, eine Zeltbahn zurückgeschlagen, ruht er allein, versunken vielleicht in den Anblick der nahen, belagerten Stadt, ihrer dreifachen Mauern und verkohlten Palisaden, ihrer geborstenen Zinnen. Es ist Montag, der 28. Mai des Jahres 1453, ein frühsommerlich warmer Tag. Es ist der letzte Tag von Konstantinopel. Noch ist der Himmel über der Stadt und dem Heerlager leer und blau.

Mehmet ruht. Erst am Abend wird sich der Eroberer aus seiner Stille erheben, wird sein Zelt verlassen und, begleitet von seinen Paschas und einer Horde von Derwischen, noch einmal alle Stellungen entlang und durch das Lager reiten und verkünden, was das Heer schon seit Stunden weiß: Noch vor Anbruch des nächsten Tages wird Mehmet, die Faust des einen und wahren Gottes, das Zeichen zum letzten Sturm auf Konstantinopel geben, und mit Feuer und Schwert, zur tosenden Musik der Pauken, Posaunen, Zimbeln und Pfeifen der Blutorchester wird dann die Armee Gottes hereinbrechen über die Metropole der Ungläubigen, damit sich endlich die Prophezeiung erfülle. *Sie werden Qostatinyia erobern. Ruhmreich der Fürst und die Knechte dieses Triumphes. Das Paradies ist ihnen gewiß.*

Mehmet ruht und wendet und prüft Worte und weiß, daß er die Prophezeiung, hoch im Sattel erhoben, allen Reden voranstellen wird, die sein Heer an diesem Abend von ihm erwartet. Er wird vor den Janitscharen reden, Serben, Armeniern, selbst Griechen, bekehrten Söhnen von Ungläubigen, in denen nun die Wahrheit brennt; reden vor anatolischen Sipahis, die seine Herrschaft im Glanz einer neuen Hauptstadt bewahren sollen, und reden selbst vor den Baschi-Bazuken, Söldnern und Totschlägern, die nichts wollen als Beute – er wird in ihnen allen noch einmal den Glauben und die Gier und die Wut entfachen, die Bedingungen aller Siege. Er wird den Prunk dieser Stadt beschwören, das Gold und die Kleinodien der Kirchen und Paläste, die Smaragde auf den Büchern der Irrlehre; von silbernen Torbögen wird er reden und Dächern aus Blei, von den Wasserkünsten in den Gärten und Parks und der Anmut der Frauen und Jünglinge, die morgen schon Sklaven sein werden, ausgeliefert der Geilheit und Willkür noch des gemeinsten Mannes seiner Armee. Von der Uneinigkeit und Schwäche des Feindes wird er reden, vom Zwist unter den Griechen und ihrer venezianischen und genuesischen Söldner, vom Haß miteinander hadernder religiöser Parteien, die sich gegenseitig der Irrlehre bezichtigen und doch allesamt der Irrlehre verfallen sind; von allem wird er reden, was seine Unterhändler und Späher ihm in den Wochen der Belagerung berichtet haben. Und er, der das Lateinische und Griechische ebenso spricht wie das Arabische, Hebräische und die Sprache der Perser, der die Überlieferung der Ungläubigen ebenso kennt wie die Lehren des Aristoteles und die des Propheten, wird sein Heer daran erinnern, daß es Konstantinopel schon seit Jahrhunderten bestimmt ist zu fallen, zu brennen und sich zu wandeln. Und den Zweiflern und Zaudernden unter seinen Kriegern wird er noch einmal die Wolkenbrüche, Lichterscheinungen und Erdbeben der Belagerungszeit als die Vorzeichen des Sieges deuten. Und die Derwische werden sich um sein Pferd drängen und dann jedes seiner Worte forttragen bis an den letzten Wall seines Lagers.

Mehmet ruht und weiß, daß die Zeit ihn an das Ende der Liste der byzantinischen Kaiser geführt hat und daß sich morgen die Prophezeiung eines griechischen Aufschreis erfüllen wird: *Ealǒ i polis. Die Stadt ist gefallen.* Seit acht Wochen liegen sein Heer und die Flotte nun vor Konstantinopel, den siebentausend Verteidigern zwanzigfach überlegen, und er hat alles getan, um die Stadt zur Einsicht zu bewegen; seine Kanonen haben tiefe Risse und Breschen in die Mauern geschlagen; schnelle, scheinbar regellose Angriffe, es waren nur Gesten gegen den einen Sturm, der morgen bevorstand, haben die Hoffnung und die Kraft der Verteidiger erschöpft. Er hat in Rufweite der Belagerten Gefangene in langen Reihen pfählen lassen, Pfahl neben Pfahl, eine rote Allee, damit das Gebrüll der Gemarterten in den Verteidigern eine Ahnung jenes Gerichts wachrufe, das er über jeden Uneinsichtigen halten wird. Bekehrung und den Frieden des Tributs hat er den Ungläubigen angeboten und Pfeilbotschaften über die Mauern gesandt; Botschaften mit den Prophezeiungen ihrer eigenen Propheten, auch den Worten jenes Sehers, den sie

Johannes nannten: *Weh der großen Stadt, deren Reichtum alle nährte, die da Schiffe auf dem Meer hatten. In einer Stunde ist sie verwüstet.*

Und schließlich hat er, Mehmet, einen großen Teil seiner Flotte, zweiundsiebzig Schiffe unter vollen Segeln und mit allen Ruderern besetzt, von Ochsengespannen und Tausenden Knechten auf Tragwiegen und Rollen von den Gestaden des Bosporus über Land schleifen und ins Wasser des Goldenen Horns setzen lassen und hat so die Hafensperre der Stadt in einem gewaltigen Karnevalszug umfahren und gezeigt, daß er, Mehmet der Unbesiegte, selbst das Land zum Meer werden lassen konnte und das Meer zum Spiegel seines Triumphes. Aber Konstantinopel blieb ohne Einsicht.

Noch ruht er, und noch ist es still. Vielleicht erinnert er sich jetzt an die Schreie, mit denen die vor seiner Gewalt und der Gewalt seiner Väter fliehenden Untertanen der Kaiser von Konstantinopel alle Fragen nach dem Ziel ihrer Flucht seit je beantwortet haben: *Is tin polin. In die Stadt.* Und vielleicht lächelt er bei dem Gedanken, den ängstlichen Laut dieser Antwort für immer zu verhöhnen mit einem Namen, den er den Leichenfeldern und den Ruinen von morgen geben wird: Istanbul.

(1985)

Das Labyrinth

Eine Baugeschichte
aus Kreta

Im großen Wind aus Afrika zerrissen und verflogen die Wolkenbänke über Kreta. Knossos schlief. Nur die Hunde des Königs streunten durch die dämmrigen Säle des Palastes und fraßen am Unrat des vergangenen Abends. Was ihrem Hunger zuviel war, verscharrten sie im Sand der Höfe. Dort rauschten Palmen. Durch die steinernen Gänge, die sich so oft verzweigten und kreuzten, die breiter und schmäler wurden und einmal ins Freie, dann wieder in die Tiefe des Palastes führten und irgendwo in der Finsternis endeten, schritt nun ein Mann, behutsam, leise, um niemanden vor der Zeit zu wecken. Der Bote.

Es war ein böses Zeichen, wenn der Bote vor Sonnenaufgang kam. Das Zeichen bedeutete, der König hat keine Ruhe gefunden, hat schwer geträumt und erträgt nun die Länge der Nacht nicht mehr, bedeutete, der König will Rat, Besänftigung, vielleicht Trost. Aber was immer der König um diese Stunde forderte, forderte er von seinem athenischen Gast.

Der Bote war angekommen, hielt zwei, drei Atemzüge lang inne; horchte. Dann schlug er einen Vorhang zurück, den die Zugluft hinter ihm wieder glatt strich, trat an das Bett des Atheners, beugte sich über den Schlafenden, berührte ihn an der Schulter und sagte sanft, Daedalus, steh auf, der Herr Kretas verlangt nach dir.

Schon in den ersten, wirren Augenblicken des Erwachens, noch hatte die leichte Hand sich nicht wieder von seiner Schulter zurückgezogen und noch hielt er die Augen geschlossen, spürte Daedalus, wie die Angst in ihm groß wurde. Als er sich erhob, fror ihn. Hastig und unbeholfen kleidete er sich an. Es war der vertraute Weg durch das scheinbar regellose System der Gänge, auf dem er dem Boten dann folgte; es war die vertraute Angst. Minos, der Held und König der Kreter, tobte vielleicht, litt an den Toten einer verjährten Belagerung oder saß schon seit Stunden über der Zeichnung einer Triere und würde nun die Seetüchtigkeit der Takelung, die Daedalus für die Dreiruderer der kretischen Flotte entworfen hatte, hämisch in Zweifel ziehen – gleichwie, Daedalus wußte, daß der Kreter Fragen an ihn richten würde, vernünftige oder unlösbare Fragen, und daß es von jeder seiner Antworten abhängen konnte, ob Minos ihn weiterhin schützte, davonjagte oder zertrat.

Seit neun Jahren, seit jenem Winter, in dem er seinen Neffen in einem blinden Augenblick getötet hatte, lebte Daedalus nun, bewahrt vor der Wut und Gerechtigkeit Athens, in den Mauern von Knossos. Denn auch wenn Minos den Titel des ersten Richters der Menschheit für sich in Anspruch nahm – es scherte ihn nicht, daß er einen Verbrecher beherbergte, solange der Flüchtling ihm nützlich war, ihm als Erfinder neues Kriegsgerät entwarf, als Baumeister monumentale Pracht schuf oder als Bildhauer die Säulengänge des Palastes mit marmornen Heroen zum höheren Ruhm der Herrschaft verzierte. Aber es gab keine Gnade und keine Gunst, die Minos für immer versprach. Jeder Dank war widerruflich.

Der Bote blieb wortlos zurück. Allein, ein gebeugter Untertan, trat Daedalus in das Gelaß des Königs. Minos schien ihn nicht zu bemerken. Den Kopf in die Hände vergraben, kauerte er am Fußende seines Bettes, erwiderte den Gruß nicht, schwieg lange. Durch das Geäst der Platane vorm Fenster schimmerte ein zarter, blaßroter Himmel. Als spräche er zu dem Baum da draußen und nicht zu dem Gebeugten, der hinter ihm stand und keine Bewegung und kein Wort mehr wagte, wiederholte Minos plötzlich und laut die einzige Frage der vergangenen Nacht: Wohin mit der Mißgeburt.

Die Mißgeburt. Die Bestie. Das Vieh. Minos kannte nur diese drei Worte, wenn er von jenem Wesen sprach, das seine Gemahlin Pasiphaë dem Haus geboren hatte. Ein sprachloses Wesen mit dem Körper eines Knaben und dem Schädel eines Stiers. Seit Jahren schloß Pasiphaë sich mit der Mißgeburt in ihren Gemächern ein. Dort weinte und röchelte das Vieh in ihren Armen, besudelte sie mit seinem Speichel und wuchs. Minos hatte der Menschheit verboten, auch nur den Namen der Mißgeburt auszusprechen. Aber die Feinde Kretas brüllten ihn in ihren Spottliedern. *Minotauros*. Es hieß, Pasiphaë habe sich vor der Unbarmherzigkeit ihres Gemahls längst in den Wahnsinn geflüchtet, in eine viehische Gier nach Zärtlichkeit und Lust, und habe die Mißgeburt mit einem Stier gezeugt. Und Daedalus, der Athener, hieß es, habe ihr dabei geholfen, habe der Königin aus Silber und Holz die Attrappe einer Kuh geschaffen, in die sie sich gezwängt und so ihre Geilheit mit einem Bullen besänftigt hatte.

Immer noch kauernd und ohne Daedalus anzusehen, begann Minos zu sprechen. Ich ertrage das Vieh nicht mehr. Du wirst mir das Vieh aus den Augen schaffen, Daedalus. Du wirst einen Kerker errichten, ein Denkmal der Gerechtigkeit und geheimes Abbild des Irrsinns der Königin, einen Bau, der Knossos wie ein Berg überragen und tief in den Stein hinabreichen wird, eine Zusammenfassung aller Gänge, Treppen und Fluchten Kretas, mäandrisch ineinander verschlungen, verknotet zu einem einzigen Irrweg, der durch Tag und Nacht führen muß, in die Höhe und in die Tiefe, ein Knäuel aus Stein. Und darin soll das Vieh rasen, soll dahin und dorthin, immer dem Trugbild der endlosen Bewegungsfreiheit nach, und alles für immer. Du wirst mir und der Welt einen endgültigen Ort schaffen. Einen Ort für Bestien.

Daedalus war der Rede des Herrschers schweigend gefolgt und hatte schon die Zahl der Sklaven für den Aushub überschlagen, Steinbrüche eröffnet und Mauern wachsen sehen. Gehorsam würde er jede Phantasie des Herrschers in Architektur verwandeln. Aber jetzt, als sich das Bild des Bauwerks in ihm vollendete, entkam ihm halblaut und unwillkürlich wie ein Ausruf ein Satz.

Plötzlich eine böse Stille. Minos erhob sich jäh. Blaß, das Haar wirr in der Stirn, kam er auf ihn zu und schrie, wiederhole! Entsetzt öffnete Daedalus den Mund. Blieb stumm. Da trat der Kreter so dicht an ihn heran, daß er seinen Atem roch, und wiederholte nun selbst und äffte dabei den Tonfall des Untertanen nach: Herr, du sprichst von deinem eigenen Palast.

(1985)

Schnee auf Zuurberg

Lektüre in Afrika

Das *Zuurberg Hotel* liegt an einer von Wolfsmilchgestrüpp, Proteen und Aloen gesäumten Paßstraße, die das zentrale Hochland Südafrikas mit der Pazifikküste verbindet. Auf dieser steilen Schotterstraße, die – etwa aus der Senke von Addo betrachtet – nicht bloß zu den tiefgrünen Rücken der Winterhoek-Berge emporführt, sondern an manchen Tagen geradewegs in die Wolken, reisten schon im vorigen Jahrhundert Missionare, Händler und Goldschürfer und nach ihnen auch Sommergäste aus Port Elizabeth, die in offenen Kutschen aus der Januarhitze der Küstenregion in die von Yellowwood- und Eukalyptusbäumen beschatteten Höhen flüchteten. So wurde das Zuurberg Hotel mit seinen Veranden und grasgedeckten Rundhäusern für jeden Reisenden, der etwa über den Elefantenkopfpaß ins Hochland oder auf dem gleichen Weg wieder zurück ans Meer wollte, eine Zuflucht tief im Irgendwo, ein weithin bekannter Ort in der Wildnis.

Aber Zuurberg und der Weg dorthin haben ihre einstige Bedeutung längst wieder verloren: Der Reiseverkehr zwischen Kapstadt und Johannesburg hat sich andere, bequemere Straßen gebahnt, und weiße Sommergäste, die sich einst eine Kutschenfahrt in die Berge leisten konnten, erholen sich jetzt in klimatisierten Villen am Meer. Die ehemalige Meierei von Zuurberg, deren Ruinen dicht unterhalb der Paßhöhe im Dickicht liegen, ist schon lange ohne Dach, die Stallungen verfallen, und auf Freitreppen und geborstenen Balkonen turnen Paviane. Nur das Hotel steht immer noch unversehrt auf der Paßhöhe, aber wer jetzt hier Station macht, kommt wegen der Wildnis selbst und nicht, um sie bloß zu durchqueren: Der will Elefantenherden und Kudu-Antilopen sehen, Spitzmaulnashörner und Bergzebras ... Aber ein Wildleben dieser Art findet sich in Südafrika auch anderswo. Zuurberg ist wieder, was es wohl auch für seine ersten Bewohner war, ein entlegener Ort.

Aus der Paßhöhe betrachtet, scheint freilich vieles beim alten geblieben zu sein: Das schwarze Personal bedient die weiße Herrschaft und deren Gäste und skandiert in der Küche Gesänge in der Sprache der Xhosa. Und auch wenn die einzige, auf dem Teetisch der Rezeption aufliegende Zeitung das Bildnis Nelson Rolihlahla Mandelas als das eines umjubelten Präsidenten Südafrikas trägt und ihren Lesern in Fortsetzungen von den siebenundzwanzig Jahren zu berichten verspricht, die der Präsident als politischer Häftling auf der Gefängnisinsel Robben Island überlebt hat, so ist dem Land von hier oben die neue Zeit noch kaum anzusehen: Dicht bewaldete Hügelrücken nach allen Himmelsrichtungen, Urwald, der im Südosten zur Küste abfällt, und dort, irgendwo in der Ferne und nur an klaren Abenden zu sehen, die Lichter von Port Elizabeth, dahinter der Indische Ozean wie ein schwarzer Staudamm, der den Himmel davon abhält, über dem Land zusammenzuschlagen. Die Lichter von Port Elizabeth flimmerten auch an jenem Freitagabend im Februar, an dem ich Cecil Jones auf seinem Piano *Red Roses for a Blue Lady* spielen hörte.

Cecil Jones ist der vorläufig letzte in einer langen Reihe von Besitzern und Pächtern des Zuurberg Hotels. Er setzt sich jeden Freitag- und Samstagabend an das elektrische Piano, das neben zwei großen Papageienkäfigen in der Halle seines Hotels steht, und spielt zwei Stunden lang Schlager aus den vierziger und fünfziger Jahren des zwanzigsten Jahrhunderts. Während seine Frau, die blonde Mrs. Jones, an der Theke der an die Lobby anschließenden, fensterlosen Bar Rotweinflaschen entkorkt, deren Etiketten Namen wie *Meerlust* und *Allesverloren* tragen, und manchmal zärtlich mit einem ihrer drei doggengroßen, im roten Plüsch der Barfauteuils dösenden Pudel spricht, spielt Cecil Jones mit geschlossenen Augen und kümmert sich nicht darum, ob ihm einer seiner Gäste oder seine Frau oder irgendwer zuhört. Er spielt. Zwei Stunden. Jeden Freitag- und Samstagabend. Auch vor einer leeren Halle.

Ich war an einem solchen Abend lange sein einziger Zuhörer und wußte nie, ob er mich jemals bemerkte. Ich saß vor den Vogelkäfigen, aus denen Graupapageien das Spiel ihres Herrn mit gelegentlichen Zwischenrufen störten, und las in einem Roman, der den Titel *Die Ortliebschen Frauen* trug, einem Roman des Erzählers Franz Nabl, der seinem Publikum an anderer Stelle geraten hatte: »Der Mensch soll nur an einer Stätte leben, er soll diese Stätte kennen zu allen Zeiten und zu allen Stunden.«

Ich saß in der menschenleeren Lobby des *Zuurberg Hotels* und wollte zwar nicht dem *Rat*, wohl aber der *Geschichte* des Erzählers folgen, während draußen, auf der von Bougainvillea umwucherten Veranda, eine flirrende Wolke aus Nachtfaltern, Schmetterlingen, Mücken und fliegenden Käfern im Lichtkegel einer gelben Schirmlampe einen Weg aus der Finsternis suchte. Cecil Jones spielte. Die Insektenwolke umwirbelte das Licht. Ich las: von einem *Inspektor* namens Anton Ortlieb und von einer Familie, die sich gegen die Welt und alles Fremde verschanzte, um zu bewahren, was nicht zu bewahren war:

Sehr seltsam, beschrieb mir der Erzähler Franz Nabl in dieser Stunde die Ortliebsche Familie: *Sehr seltsam erschien es, daß diese Menschen, die so ausschließlich füreinander lebten und in der Welt nichts anderes kannten als ihre engen, eigensten Verhältnisse, doch niemals einer Äußerung herzlicher Liebe oder warmer Zärtlichkeit fähig waren. Auch solange die Kinder noch im jugendlichsten Alter standen, geschah es nie, daß die Eltern sie streichelten oder in irgendeiner Weise liebkosten ... Die einzige Berührung, die zwischen ihnen und den Eltern stattfand, geschah am Morgen und am Abend vor dem Zubettgehen, wenn sie der Mutter und dem Vater die Hand reichten und dabei mit den Lippen flüchtig und wie im Vorübergleiten ihre Wangen streiften ... Auf diese Weise lag in ihrem Wesen, trotz aller gegenseitigen Anhänglichkeit aneinander, immer etwas Kaltes und Zurückhaltendes, und ein Fremder, der die Verhältnisse nicht näher kannte, hätte leicht glauben können, hier seien Menschen durch einen bösen äußeren Zwang zusammengekettet und müßten nun gleichgültig oder wohl gar in stummer Feindseligkeit nebeneinander herleben.*

Ich las und geriet mit jeder Zeile aus den Winterhoek-Bergen Südafrikas wieder zurück in das Land, aus dem ich kam. Ich kannte solche Inspektoren, solche Familien und geschlossenen Häuser. Es war nicht nur das Ortliebsche Land, sondern auch *mein* Land, von dem hier berichtet wurde, und das an diesem Freitagabend im Februar wohl unter Schnee lag. Und während ich dem Erzähler weiter und weiter folgte, gebannt von einer traurigen Geschichte, deren versöhnlichen Ausgang ich damals noch nicht kannte, begann sich die wirbelnde Insektenwolke draußen auf der Veranda zu verwandeln, nein, *war*, was sie war, ein weißes Treiben; Flocken; wirbelnder Schnee.

Cecil Jones spielte für sich allein oder für seinen einzigen Zuhörer oder für seine Frau und ihre drei Pudel *Red Roses for a Blue Lady*, und hinter den Fenstern, draußen, in einer afrikanischen Spätsommernacht, fiel der Schnee immer dichter, sank auf die Bougainvilleablüten, wirbelte aus den Kronen der Yellowwood-Bäume herab, auf die Grasdächer in der Finsternis, auf die Rücken der Elefanten, die sich tief unten, in der Senke von Addo, schläfrig aneinanderdrängten, hüllte die Bergzebras ein, die ängstlich stillhielten, um diese Tarnung, die sie so weiß machte wie den Rest der Wildnis, nicht wieder zu verlieren. Afrika versank im Schnee, und ich war wieder dort, wo ich herkam, war irgendwo zwischen der Küste des Indischen Ozeans und dem nächtlichen Hochland Südafrikas, auf der Paßhöhe von Zuurberg, zu Hause.

(1996)

Der Weg nach Surabaya

Protokoll
einer Lastwagenfahrt

Ich erinnere mich an das Ende einer Regenzeit im Osten Javas. Wir fuhren damals an den Abhängen des Vulkans Arjuna entlang nach Surabaya. Wir, das waren die Fahrgäste eines offenen Lastwagens, der ohne Fahrplan überall dort haltmachte, wo einer mit erhobenem Arm am Wegrand stand und sein Haus oder sein Dorf verlassen wollte. Fünfundzwanzig, vielleicht dreißig Reisende, hockten oder standen wir dicht gedrängt auf der Ladefläche, manche von uns mit nur leichtem Gepäck, andere mit ihrer ganzen Habe; auch das war nicht viel.

Die Straße war von den Rinnsalen und Sturzbächen eines morgendlichen Wolkenbruchs zerfurcht – und schon unter der Vormittagssonne wieder so ausgedörrt, daß alles Land hinter uns in einer Staubwolke versank. Ich stand damals zwischen einem Geflügelhändler aus Malang und einem Turm aus Hühnerkäfigen in der ersten Reihe, auf das Dach der Fahrerkabine wie auf ein Pult gestützt, konnte durch ein schmales Fenster den Rücken des Fahrers – und über das heiße Blech des Daches hinweg sehen, wie uns diese Straße aus Schlaglöchern und trockenen Bachbetten ansprang.

Langsam, sehr langsam, schaukelten wir auf die Küste zu und waren doch schnell genug, um schließlich ein zweites

Fahrzeug einzuholen, einen offenen Laster, der dem unseren an Größe und Überladung glich. Er war mit Hirten oder Schlachtern besetzt: Sie drängten sich ebenso aneinander wie wir – nur, daß zwischen ihnen auch noch Ziegen standen, Schafe mit grellen Farbzeichen in der Wolle und kleine schwarze Schweine, wie man sie auch entlang unserer Route zwischen Reisfeldern und in hellgrünen, raschelnden Bambuswäldern sah.

Die vorausfahrenden Hirten oder Schlachter zu überholen war unmöglich. Die Hänge fielen steil ab, die Straße war schmal und zeichnete in unzähligen Kurven und Serpentinen den Faltenwurf des Vulkans nach. Also nahm unser Fahrer die Geschwindigkeit der Vorausfahrenden an, folgte ihnen aber so dicht, daß wir in ihrem Staub allmählich fahl wurden und durch den Motorenlärm das Quieken der Schweine und dann auch das hohe Kichern eines Mannes hörten, dem eine der Ziegen den Schweiß vom Hals leckte. Wie wir selbst und die Dörfer hinter uns verschwanden auch die Vorausfahrenden im Staub, wenn die Fahrt schneller wurde – und winkten uns jedesmal zu, wenn sie daraus wieder erschienen. Einige von uns, darunter auch ich, winkten zurück. Wir gewöhnten uns aneinander.

Als wir im Schrittempo ein kilometerlanges, baumloses Hochplateau durchquerten, wurde das Blechdach, auf das ich mich stützte, so heiß, daß ich aus meiner Tasche eine Zeitung nahm, um sie unter meine Ellbogen zu breiten. Es war eine reich bebilderte Tageszeitung, die ich einem Jungen abgekauft hatte, als im Getümmel einer Ortsdurchfahrt eine Schar von Verkäufern – Obsthändler, Spielzeugmacher, Wasserträger und Garköche mit ihren Karren – unser Fahrzeug umdrängte. Bemalte Sonnenschirme und kunstvoll geflochtene Hüte waren uns angeboten worden, Kissen aus Gras, dazu Mangos, Lychees, Jackfruits, Honigbananen und Sternfrüchte, Glückslose – und eben auch Nachrichten aus Java und dem Rest der Welt, Papier, mit dem ich später die durchnäßten Schuhe in meinem Gepäck ausstopfen wollte.

Als nun einer der vorausfahrenden Hirten oder Schlachter diese Zeitung in meinen Händen sah, hielt er seine Fäuste vor die Augen wie ein Fernglas und lachte. Meinte er tatsächlich mich? Ich strich die Zeitung glatt, hob sie hoch und zeigte ihm die Titelseite. Ein Fußballspieler war darauf zu sehen, der in Hüfthöhe über dem Boden zu schweben schien. Der Mann flog einem unsichtbaren Ball nach und auf einen Sieg oder eine Niederlage zu – ich konnte Überschriften und Bildunterschriften ebensowenig verstehen wie den Rest des Textes, war er doch in jener Kunstsprache abgefaßt, die auf den dreitausend bewohnten und elftausend unbewohnten Inseln Indonesiens als Landessprache gilt.

Diese *Bahasa Indonésia* ist einfach und vielfältig zugleich. Ein Konglomerat aus dem Malaiischen, Sundanesischen, Javanischen ... und nahezu dreihundert weiteren Sprachen und Dialekten des Archipels, kennt diese Sprache kein grammatikalisches Geschlecht und keine Deklination und keinen bestimmten oder unbestimmten Artikel ... Was immer eines ihrer Wörter bedeutet, bedeutet es vor allem in einem größeren Zusammenhang.

Übersät mit Begriffen aus dem Hindi, dem Arabischen und dem Chinesischen, ist diese Sprache aber nicht nur der aus tausend Buchten zurückschlagende Widerhall in einem Labyrinth der Kulturen, sondern bewahrt mit ihren niederländischen Lehnwörtern auch die Erinnerung an Kolonialherren, die hier noch Jahre nach dem Zweiten Weltkrieg wüteten. Eine Hilfssprache also, die einen Waranjäger aus Borneo oder Neuguinea mit einem Busfahrer aus Sumatra und einem Steuerbeamten aus Jakarta sprechen läßt, ohne das Gespräch in eine der sogenannten *Weltsprachen* zu zwingen.

Ich verstand zwar nicht, was über und unter den Bildern geschrieben stand, konnte die Wörter aber immerhin *lesen*, weil nach politischen und militärischen Niederlagen der europäischen Eroberer schließlich doch das lateinische Alphabet über andere, rätselhaftere Schriften triumphierte.

Der Hirt oder Schlachter vor mir freute sich über das, was er sah oder verstand, und bedeutete mir mit dem Zeige- und Mittelfinger seiner rechten Hand das universale *V*. Seine Mannschaft hatte offensichtlich gewonnen.

Damit wurden nun auch seine Freunde oder Mitreisenden auf mich oder den dahinsegelnden Fußballspieler aufmerksam. Sie riefen etwas, das ich nicht verstand, immer wieder, bis ihr Wort- oder besser: *Zeichen*führer eine wegwerfende Geste machte, die ich als *Umblättern!* deutete.

Auch das geschah. Es war nicht einfach. Der Fahrtwind schlug mir die Blätter, die ich nun eines nach dem anderen hochhielt, immer wieder ins Gesicht. Die Straße war zwar nicht breiter, aber besser und wieder schattig geworden. Ich zeigte den Vorausfahrenden Bilder von Bewaffneten und Verwundeten oder Toten, die in zwei Reihen vor einem Panzerfahrzeug lagen, auch an ein Haus ohne Dach erinnere ich mich, an eine Zeremonie – eine Amtsübergabe? – in irgendeinem prunkvollen Saal, an einen Fahnenwald vor einem schwarzen Himmel und an eine Frau, die bis an die Brust in der Flut stand und etwas rettete, ein Bündel, ein Kissen, Feuerholz oder ein eingewickeltes Kind – *was* sie hoch über ihrem Kopf hielt, war nicht zu erkennen ...

Der Abstand zwischen uns und den Hirten oder

Schlachtern wurde größer, schrumpfte dann wieder zur nächsten Nähe – und blieb insgesamt gleich. An Überholen war auch nach zehn, fünfzehn Kilometern nicht zu denken. Die Vorausfahrenden hatten ihre Aufmerksamkeit meiner Zeitung zugewandt und waren zu einem von der Fahrt geschüttelten Publikum geworden, das jetzt nicht nur sehen, sondern auch hören wollte.

Der Wort- und Zeichenführer zeigte jedenfalls mit den zum *V* gespreizten Fingern auf seine Augen, schrieb imaginäre Zeilen in die Luft und machte dann, wie mir schien, den klappernden Schnabel einer Ente oder irgendeines anderen schnatternden Vogels nach, und ich meinte zu verstehen: *Lies vor!*

Also begann ich den Vorausfahrenden unter dem Gelächter der Reisenden beider Lastwagen eine Überschrift zuzurufen – und noch eine und las schließlich den ganzen Text unter dem Bild des Fußballspielers vor, *schrie* mehr, als ich las, die Geschichte vom fliegenden Mann.

Da die lateinisch geschriebene *Bahasa Indonésia* für einen deutschsprachigen Fremden nahezu phonetisch zu lesen ist, wurde dieser Vortrag nur dann schwierig, wenn eine Steigung den Fahrer zum Schalten zwang und jedes Wort im Diesellärm unterging.

Bahasa bedeutet in dieser Sprache übrigens Sprache und *orang* heißt Mensch, Zunge *lidah*, Wort *kata*, Feuer *api*, Zeit *waktu*, König *raja*, Wunde *luka*, Sonne *matahari* und *laut* das Meer. Ein bißchen verdächtig klingt eigentlich nur das Wort für Schriftsteller: *penulis*.

Ich las also Satz für Satz, Worte, die ich nicht verstand. Ich weiß nicht, ob alle meine Zuhörer lesen konnten, wußte aber, daß *sie* verstanden, was ich las. So fuhren wir an Kakaoplantagen vorüber, fuhren unter ungeheuren, grellweißen Kumuluswolken dahin, die sich über dem

Vulkan auftürmten und seinen Kegel bis in die Stratosphäre zu überhöhen schienen.

Ich weiß nicht, ob meine Zuhörer mich für einen rotköpfigen Narren oder bloß für einen etwas plump gestalteten Ausländer hielten, mit dem die Fahrzeit schneller verging. Sie klatschten gelegentlich, lachten oft, und einer, der ein schwarzes Ferkel zwischen seinen Beinen eingeklemmt hielt, zog dem Vieh manchmal die Ohren hoch wie einer Fledermaus. Ob er das Schweinchen, das sich wand und vergeblich zur Wehr setzte, dadurch zur äußersten Aufmerksamkeit zwingen oder bloß in die Karikatur eines Zuhörers verwandeln wollte ... Auch das weiß ich nicht.

Masih berapa jauh ke Surabaya?

Wie weit ist es noch bis Surabaya?

Als der Vulkan schließlich im Dunst hinter uns allmählich eins wurde mit dem Himmel und die Bergstraße zur Küste abfiel, an der schon das weiße Band der Brandung und das graue der Nationalroute rauschte, hatte ich die Zeitung längst wieder zusammengefaltet, waren nur noch das Meer und Motoren zu hören. Die Reisenden dösten, hielten sich müde an den Bordwänden fest, schwankten der Erleichterung einer staubfreien Asphaltstraße entgegen. Obwohl also längst wieder alles beim alten und eine Geschichte gelesen, erzählt und vielleicht auch schon wieder vergessen war, brachte der Abschied noch einmal Leben ins Publikum.

Gemeinsam hatten wir aus Zeichen und Lauten eine Sprache, aus einem Spiel eine Geschichte und aus der Straße eine Zeile gemacht – und waren uns doch während der ganzen Reise nicht so nahe gekommen wie in den Augenblicken des Abschieds. Noch bevor wir in den Strom der Nationalroute einbogen, nützte unser Fahrer die Breite einer langgezogenen Kurve, um hupend und blinkend zum Überholmanöver anzusetzen.

Was dann geschah, war so heiter, so federleicht und selbstverständlich, als sei es längst zwischen uns abgesprochen: Als unsere Fahrzeuge für Sekunden nebeneinander auf die Einmündung zurollten, streckten einige der Hirten oder Schlachter ihre Arme aus, die Handflächen offen – und einige von uns, darunter auch ich, klatschten mit ihren Händen dagegen, einen Gruß – oder einer dem anderen einen freundlichen Applaus? Dann übergab ich dem letzten von ihnen im letzten Augenblick und wie einem schon zurückfallenden Staffelläufer – die Zeitung; die Geschichte vom fliegenden Mann.

Selamat jalan, selamat tinggal!

Gute Reise, leben Sie wohl!

Auf die von Lastwagen zu Lastwagen gerufenen Wünsche konnte ich endlich ein Wort aus dem Gedächtnis zurückschreien. Es war das erste, das ich in der Sprache meiner Zuhörer lesen *und* verstehen *und* sprechen gelernt hatte: *Terimakasih!*

Das bedeutet *Ich danke Ihnen.*

(1992)

Fatehpur

Oder die Siegesstadt

Das Summen schwarzer Bienenschwärme ist das erste – und einzige – Geräusch, das in meiner Stadt zu hören ist: Ganz aus rotem Sandstein erbaut, ein weitläufiger Irrgarten aus kunstvoll behauenen, verfallenden Mauern, Säulengängen, Torbögen und Freitreppen, manche Fassaden bis an die Kuppeldächer mit eingemeißelten Schriftzeichen verziert, liegt meine Stadt dicht an der Grenze zwischen Rajasthan und Uttar Pradesh, liegt menschenleer in der Wintersonne Indiens.

Meine Stadt?

Es ist *unsere* Stadt, der Ort der Erzähler und der Zuhörer, denn wo immer einer zu sprechen beginnt und seine Geschichte mit dem Bild verlassener Häuser, leerer Plätze, leerer Gassen und ausgedörrter Brunnenbecken eröffnet, dort wird gebaut, werden innerhalb eines einzigen Atemzuges Straßen gepflastert, wachsen Mauern, Türme aus der Tiefe unserer Erinnerung oder der bloßen Vorstellungskraft, und wir stehen inmitten einer verlassenen Stadt; zwischen Ruinen. In den Sälen und Arkaden eines Palastes finden wir lange Reihen von Sarkophagen, aber keine Bewohner, nirgendwo Tische, Bänke oder Betten, und in den nach wie vor hochragenden Kuppeln und Torbögen hängen Schwärme wilder Bienen in schwarzen, teppichgroßen Lappen, wie eine schillernde, summende Verspottung jener Fahnen, perlenbestickten Spruchbänder, Gobelins und aller wehenden Pracht, unter der die Mauern der Stadt an den Tagen längst vergessener Triumphzüge verschwanden.

Ich habe diese Bienenschwärme an einem windstillen Januartag gesehen, und ich habe ihr Summen noch jetzt im Ohr. Die Zeitungen und Nachrichtensender des Landes überschlugen sich an diesem Tag mit Meldungen von der Hinrichtung zweier Sikhs, die der Ermordung der Staatspräsidentin Indira Gandhi für schuldig befunden, zum Tod durch den Strang verurteilt und in der Nacht gehenkt worden waren. Im Punjab wurden nach Straßenschlachten zwischen Sikhs und Polizei und Armee schon neunzehn Tote beweint, und auch in Delhi begann die Armee, Straßensperren und Wälle aus Sandsäcken zu errichten ... Nur in unserer Stadt blieb es still. Dort schien alles, was die Menschen jemals empört, begeistert, geängstigt oder gequält hatte, für immer Vergangenheit. Und so wie der Name des roten Wüstenlandes in der Ferne bloße Erinnerung war – *Rajasthan*, Land der Könige – so beschwor auch der Name unserer Stadt eine längst erloschene Macht: *Fatehpur*. Das bedeutet *Siegesstadt*.

Fatehpur, werden jetzt vielleicht einige von uns sagen, Fatehpur-Sikri! Kommt uns bekannt vor: Residenzstadt des Mogulkaisers Jalal ad-Din Muhammad, genannt *Akbar*, der Große. Fatehpur, nach dem unbeugsamen Willen Akbars im sechzehnten Jahrhundert innerhalb weniger Jahre erbaut – eine Stadt, größer als das damalige London! – und trotz aller Pracht nach bloß vierzehn Jahren wieder verlassen, aufgegeben wie ein Zeltlager, weil dem Mogulkaiser auf seinen Kriegs- und Eroberungszügen jeder Ort, ob er nun Agra, Lahore oder Fatehpur hieß, nur vorübergehend als Residenz diente, als bloße Karawanserei auf seinem

Weg zur Allmacht, ja Göttlichkeit: *Allahu Akbar,* ließ der Mogul zur Genugtuung *und* zum Entsetzen seiner Mullahs in die Mauern seiner Residenz und auf die Münzen seines Imperiums schlagen, das im Zenit seiner Macht vom Hindukusch bis zum Godavari und von Bengalen bis zum Gujarat reichte: *Allahu Akbar!* In Fatehpur bedeutete dieses Bekenntnis aber nicht mehr allein Allah ist *groß*, sondern auch – und vor allem – Akbar *ist* Allah. Akbar ist Gott.

Anders als wir Erzähler, wir Zuhörer, brauchte aber selbst ein gottgleicher Held und Großmogul an die zehntausend Arbeiter täglich, Diener, Taglöhner, Sklaven, um seine Stadt zu gestalten, um aus roten Felswänden ein ganzes Gebirge gemeißelter Steine zu schlagen, um einen Fluß zu stauen und so die Herrlichkeit seiner Residenz auch noch mit einem See zu schmücken, einem See inmitten eines glühenden Landes, das er mit dem Eis Kaschmirs zu kühlen versuchte, mit tropfenden Karawanen, die Schnee aus dem Himalaya durch die Wüsten Rajasthans bis nach Fatehpur trugen. *Uns* genügen für die Errichtung wie für die Kühlung einer hitzeflirrenden Stadt einige Worte, aber nur einer, der von den Gesetzen und vom Geheimnis des Erzählens nichts weiß, würde den häretischen Prunk der Residenz Akbars mit der Dauerhaftigkeit, ja Unzerstörbarkeit *unseres* Fatehpur verwechseln. Im Reich der Erzähler bedarf selbst die Erfindung der Welt nur einer Stimme und eines Zuhörers, und um das Eis Kaschmirs in Truhen aus Ebenholz, Kupfer, Leder und Schieferstein durch die Wüste zu tragen, muß der Staub unter den Hufen unserer Kamele nicht der Staub Indiens sein.

Und rührte nicht selbst der Glanz Fatehpurs, der so kometenhaft aufglühte und wieder erlosch, schon zu Akbars Zeit von Bauwerken, die aus dem gleichen Material waren wie die Häuser und Türme *unserer* Stadt – von Werken der

Imagination, der Gedanken, kurz: der bloßen Phantasie? Denn Fatehpur war nicht nur die zu Stein gewordene Zeltstadt eines Eroberers und ein Brennpunkt der Macht, sondern auch Metropole einer seltsamen, ja unerhörten Freiheit: Akbar, Sohn eines sunnitischen Vaters und einer schiitischen Mutter, Akbar der Held Indiens, der selbst kaum lesen und schreiben konnte und alles, was er von der Welt wissen wollte, von Zuträgern, von Vorlesern und Erzählern erfuhr, hatte schon in den Jahren der Bauzeit seiner Stadt erkannt, daß Dogma und Orthodoxie ein Reich eher sprengen als einigen und einen Palast eher verfinstern als erhellen. Und mit der gleichen Unersättlichkeit und Leidenschaft, mit der Akbar, der *Herr der Horizonte*, die Grenzen seines Reiches immer weiter ausdehnte, verfuhr er auch mit den Grenzen seines Wissens. So wie er aus den abgeschlagenen Häuptern seiner Feinde blutige Rundtürme errichten ließ, Schädeltürme als Wegzeichen nach Fatehpur, so versammelte er die Überlebenden seiner Triumphe, Gelehrte, Theologen, Künstler und Philosophen aus allen Sphären seiner Herrschaft in seiner Residenz, befahl nicht nur Sunniten und Schiiten in einen *Palast der Gespräche und* in luftige, mit Teppichen und Gemälden geschmückte Pavillons, die das Bilderverbot der islamischen Orthodoxie spielerisch außer Kraft setzten, sondern bot hier auch den Hindus, Sufis, Parsis – und sogar jesuitischen Missionaren der portugiesischen Kolonie in Goa einen sicheren Ort. In Akbars Pavillons durfte jeder Priester oder Prediger einer Lehre den Gott, die Götter, Dogmen, Geister und Heiligen der jeweils anderen Lehre von Zeit und Ewigkeit ungestraft in Zweifel ziehen. Vielstimmig, vielsprachig, von Malern, Dichtern und Musikern ins Paradiesische verklärt, sollte Fatehpur nach dem Willen seines Erbauers der Stern sein, der sein Licht aus allen Richtungen und Weiten des inneren und äußeren Raumes bezog und gebündelt wieder in alle Richtungen zurückwarf.

Akbar, erster Schüler aller Lehren, betete und fastete zwar wie ein Moslem, trug aber auch die Tilaka, das Mal der Hindus, auf der Stirn und ließ sein Haar nach Art der Hindus wachsen, trank nur Wasser aus dem Ganges, opferte auf den Feueraltären der Parsis, sank in der Kapelle der Jesuiten auf die Knie und ließ zu, daß die portugiesischen Missionare im Schatten der großen Moschee von Fatehpur ein Kreuz, Zeichen eines gefolterten Propheten, errichteten, während in seinen Pavillons die Dispute um die Regeln des Lebens, Denkens und Betens, um das Paradoxon eines dreifaltigen Gottes, um das Verbot der Witwenverbrennung und um die Dauer der Ewigkeit weiter und weiter geführt wurden. Wie viele Frauen durfte ein Mann besitzen? Eine? Drei? Dreißig? Die Chronik von Akbars Harem bezeugt an einer Stelle dreihundert, an einer anderen fünftausend Frauen.

Natürlich konnte der Atem aller Dispute und Gespräche zusammengenommen nicht weiter reichen als der Atem jeder Utopie – und vor allem nicht weiter als die verfliegende Geschichte der Stadt selbst. Natürlich gab es Streit unter den Vertretern so vieler Wahrheiten und Bekenntnisse, natürlich Haß, offene und verborgene Kämpfe, selbst tödliche Rivalitäten unter den Männern so vieler Götter ... War es also ein Wunder, daß Akbar, der Große, schließlich allen zu schweigen befahl, dem Streit ein vorläufiges Ende setzte und ein neues Dogma verkünden ließ: Die letzte Wahrheit sollte von nun an allein bei dem Einen, dem Einzigen liegen, der allen zuhören und keinem ganz glauben wollte, bei Akbar allein. Was *Er* sagte, sollte von nun an gelten als das Wort Gottes. *Allahu Akbar.*

Der Unfehlbare, der Unbesiegbare, der Unsterbliche

starb am 15. Oktober 1605, im fünfzigsten Jahr seiner Herrschaft und zwanzig Jahre nachdem er Fatehpur verlassen und den in immer weitere Fernen fliehenden Grenzen seines Imperiums nachgezogen war. In der Stunde seines Todes umstanden die Priester und Prediger feindlicher Religionen sein Lager und ereiferten sich immer noch – diesmal in der Erwartung, wessen Gott wohl die Ehre haben würde, als letzter auf den Lippen des Sterbenden zu sein. Aber wer wurde schließlich begraben? Ein gottgleicher Held, wie der erste seiner Höflinge, der Biograph und meisterhafte Erzähler Abu'l Fazl behauptete – oder starb ein maßloser Häretiker und Despot, als den Badauni, ein strenggläubiger Berater des Moguls, seinen Herrn in einer anderen, heimlich verfaßten Biographie beschrieb, in einem Buch, das erst von Akbars Erben entdeckt, verflucht und verboten wurde und seinen Verfasser in Todesgefahr brachte.

Ach, diese Biographen, sagen wir, diese Geschichtenerzähler!, die gehören doch zu uns, die tun, was auch wir tun: überführen die *wirklichen*, unverwechselbaren Menschen und die *wirklichen* Orte und Städte ins Reich der Erzählung, wo aus einer einzigen plötzlich drei, vier, unzählige! widersprüchliche Gestalten werden – und aus einer einzigen Stadt, einem einzigen Fatehpur, zwei ... Aber welcher Akbar, welches Fatehpur ist das *wahre*?

Wir wissen nur, daß es eine verlassene Stadt an der Grenze zwischen Rajasthan und Uttar Pradesh gibt und daß dort Sarkophage in ehemaligen Thronsälen stehen, daß dort die Erosion unmerklich Schicht um Schicht von den Steinen schleift und der Wind roten Sand in die Wüste hinaus trägt, bis auch die letzte Wehrmauer eingeebnet und der Ort wieder leer sein wird wie am Anfang der Zeit. Wir wissen aber auch, daß ein anderes Fatehpur, *unsere*

Stadt, vielleicht noch bestehen wird, wenn kein einziger Stein mehr an Akbars Residenz erinnert. Nein, unsere Stadt ist keine Residenz, kein Ort der Macht, aber auch kein Ort des Schreckens. Erst unsere Stadt trägt ihren Namen zu Recht, *Fatehpur*, die Siegesstadt, in der zumindest eine Ahnung von Freiheit und neben der wirklichen Geschichte auch ihre bloßen Möglichkeiten bewahrt und überliefert werden: die Möglichkeiten der Menschen. Und selbst wenn einer von uns verstummt und verschwindet – wir vertrauen darauf, daß immer welche zurückbleiben, die imstande sind, weiterzuerzählen und sich zu erinnern, an das, was wirklich – und was bloß möglich war ... Und ihre Erzählungen, ob es nun Akbars Geschichte oder unsere eigene ist, werden zwar nicht für alle Zukunft unvergeßlich bleiben und ganz gewiß nicht für die Ewigkeit, aber zumindest bis zu jenem Tag, an dem das Gedächtnis ihres letzten Zuhörers erlischt.

(1996)

Nachweise

Ein Leben auf Hooge. Porträt einer untergehenden Gesellschaft. In: *Merian.* »Schleswig-Holstein«, 2. November 1985, S. 131–134.

Habach. Ein Andachtsbild aus Oberbayern. In: *Extrablatt*, 1982, H. 1, S. 17–23.

Die vergorene Heimat. Ein Stück Österreich. In: *Geo*, 1989, H. 7, S. 12–48.

Die ersten Jahre der Ewigkeit. Der Totengräber von Hallstadt. In: *Merian.* »Oberösterreich«, 2. Februar 1988, S. 63–66.

Kaprun. Oder die Errichtung einer Mauer. In: *Merian.* »Salzburger Land«, 1. Januar 1985, S. 28–31 und 114–118. Erschienen unter dem Titel: *Kaprun. Eine Mauer wird zum Mythos.*

Auszug aus dem Hause Österreich. Unterwegs zur letzten Kaiserin Europas. In: *TransAtlantik*, 1985, H. 11, S. 29–37. Erschienen unter dem Titel: *Kaiserin Zitas Weg in die Kapuzinergruft.*

Die Königin von Polen. Eine politische Wallfahrt. In: *TransAtlantik*, 1982, H. 11, S. 29–37.

Der Blick in die Ferne. Ablenkung am Rande der Gesellschaft. In: *TransAtlantik*, 1985, H. 4, S. 36–39. Erschienen unter dem Titel: *Sieh, das Gute liegt so nah.*

Chiara. Ein Besuch in Süditalien. In: *Extrablatt*, 1979, H. 11, S. 50–55. Erschienen unter dem Titel: *»Solo i fessi stanno laggiù.«* Mit Photographien von Herwig Palme.

Die Neunzigjährigen. Fünf biographische Notizen. In: *Extrablatt*, 1980, H. 11, S. 74–81. Erschienen unter dem Titel: *Geburtsjahr 1890. 90 Jahre Einsamkeit.* Mit Photographien von Willy Puchner.

Przemyśl. Ein mitteleuropäisches Lehrstück In: *Im blinden Winkel. Nachrichten aus Mitteleuropa.* Hrsg. von Christoph Ransmayr. Wien, München: Brandstätter 1985. Taschenbuchausgabe: Frankfurt a.M.: Fischer Taschenbuch Verlag 1989, S.7–13.

Der Held der Welt. Vermutungen über den letzten Tag von Konstantinopel. In: *Merian.* »Türkei«, 5. Mai 1985, S. 92–93.

Das Labyrinth. Eine Baugeschichte aus Kreta. In: *Das Wasserzeichen der Poesie oder Die Kunst und das Vergnügen, Gedichte zu lesen.* In hundertvierundsechzig Spielarten vorgestellt von Andreas Thalmayr, Nördlingen: Greno Verlag 1985, S. 10–13.

Schnee auf Zuurberg. Lektüre in Afrika. Dankrede anläßlich der Verleihung des Franz Nabl Preises in Graz. In: *Neue Zürcher Zeitung*, 20./21. April 1996.

Der Weg nach Surabaya. Protokoll einer Lastwagenfahrt. Dankrede anläßlich der Verleihung des Großen Literaturpreises der Bayerischen Akademie der Schönen Künste in München. In: *Die Zeit*, 26. Juni 1992.

Fatehpur. Oder die Siegesstadt. Dankrede anläßlich der Verleihung des Europäischen Literaturpreises Aristeion in Kopenhagen. In: *Die Zeit*, 15. November 1996.